KB127016

초등학생이 알아야 할

음식 100가지

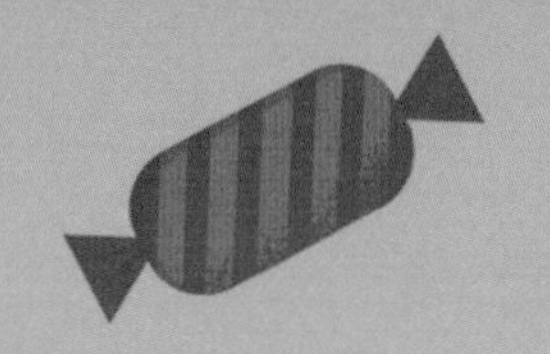

초등학생이 알아야 할

음식 100가지

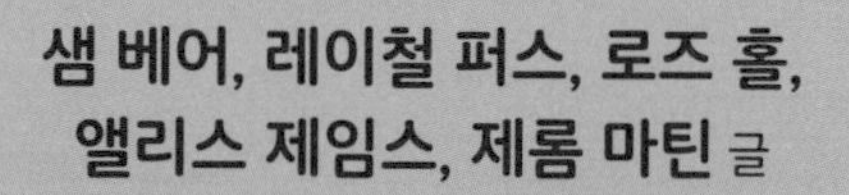

샘 베어, 레이철 퍼스, 로즈 홀,
앨리스 제임스, 제롬 마틴 글

페데리코 마리아니, 파르코 폴로 그림

제이미 볼, 프레야 해리슨,
렌카 흐레호바, 에이미 매닝, 앨리스 리스,
비키 로빈슨, 헤일리 웰스 디자인

제니 챈들러, 클라우디아 하브라네크 감수

이한음 옮김

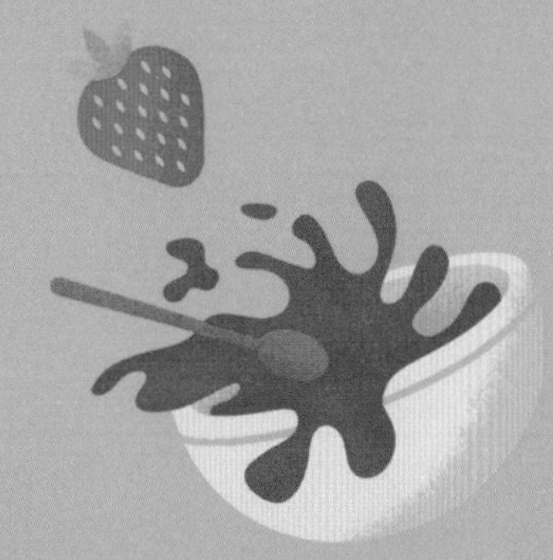

1 한 가지 음식만 먹으면서 살 수도 있어요…

단, 아기일 때 가능해요.

우리는 음식을 먹고 마셔서 **영양소**를 얻어야 해요. 영양소는 몸을 만들고 건강하게 유지하는 데 필요한 화학 성분이에요. 신생아는 **모유**나 **분유**로부터 필요한 영양소와 물을 다 얻을 수 있어요. 하지만 어른은 그럴 수 없지요. 영양소가 더 많이 필요하기 때문이에요.

과학자들은 영양소를 몇 종류로 나누어요. 모유와 분유에는 필요한 영양소가 종류별로 다 들어 있어요. 어른에게 필요한 것들도요.

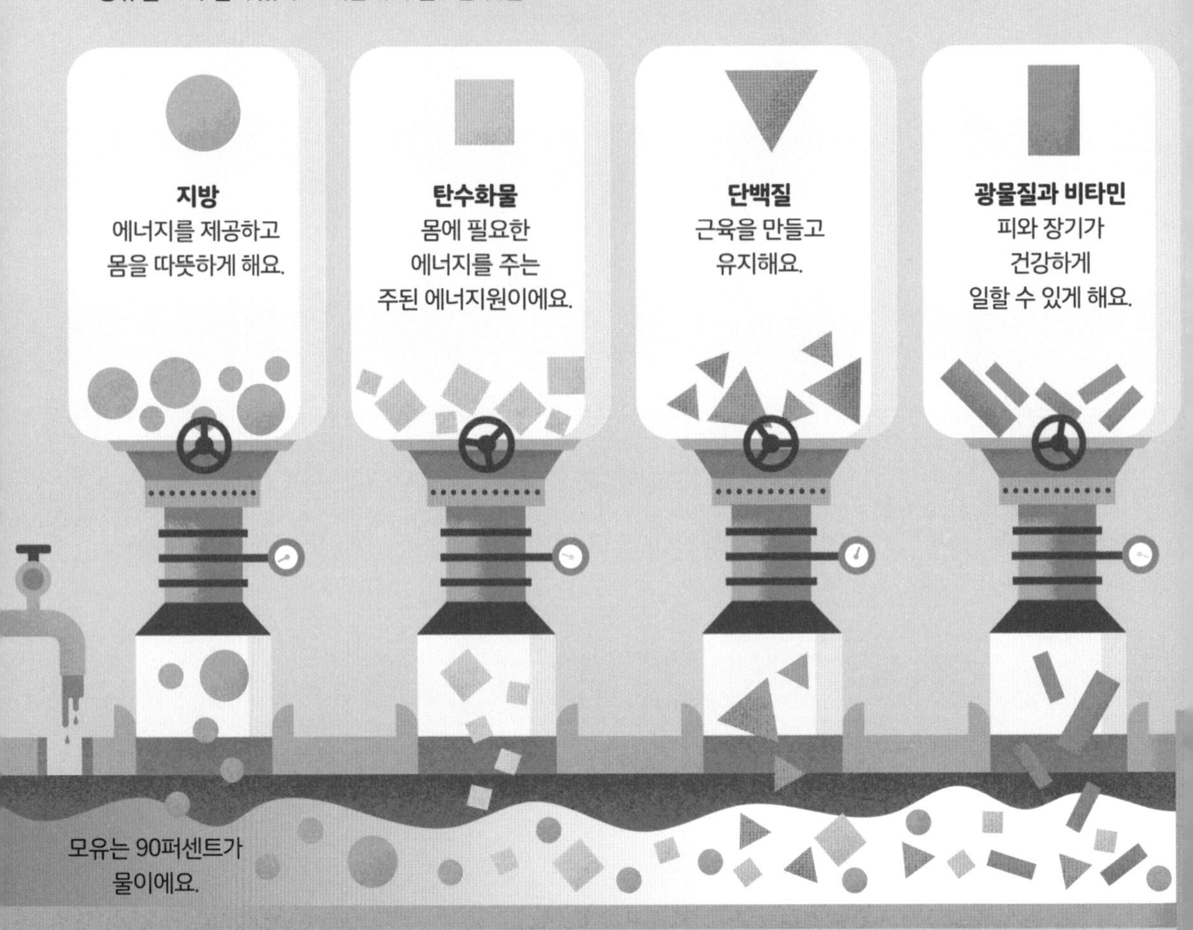

모유에는 **항체**도 들어 있어요.
항체는 아기가 병균에 감염되지 않도록 막아 줘요.
영양소와 같은 식품 용어들의 뜻이 궁금하면 118~121쪽을 살펴보세요.
모유 식당
신생아는 모유 2병이면 하루에 필요한 영양소를 모두 얻을 수 있어요.
좀 더 자란 아기는 모유를 서너 병쯤 마시면서 음식도 조금 먹어야 할 거예요.
어른은 하루에 적어도 분유 **8병**을 마셔야 충분한 에너지를 얻을 수 있어요.
어른은 분유만으로는 필요한 영양소들을 골고루 충분하게 섭취하지 못해요.

2 한 종류의 식물이…

지구의 절반을 먹여 살려요.

세계 인구의 절반인 35억 명이 쌀을 **주식**으로 삼고 있어요.
즉 쌀을 주로 먹는다는 뜻이에요.

1억 5,000만 헥타르*
세계에서 벼를 기르는 농지의 면적

헥타르: 1헥타르는 1만 제곱미터예요.

7억 5,000만 톤
연간 쌀 수확량.
낟알로 치면 **3경 5,000조**
(35에 0을 15개 붙인 수)
톨이에요.

벼를 재배하는 나라는
100개국이 넘어요.
남극 대륙을 제외한
모든 대륙에서 벼를 기르지요.

전 세계 사람들이
하루에 먹는 열량 중
5분의 1이
쌀에서 나와요.

세계의 쌀 중
90퍼센트는
아시아에서 생산되고
소비되지요.

모든 벼 품종은
*오리자 사티바*라는
식물 종에서 나왔어요.
물에서 자라는 식물이지요.

벼는 옥수수와
사탕수수 다음으로
세계에서
세 번째로
많이 기르는
작물이에요.

3 우리에게 알려진 최초의 요리책은…

화덕에 구워서 만들어졌어요.

약 4,000년 전 메소포타미아(지금의 이라크)에서 누군가가 점토로 판을 빚어서 35가지 요리법을 새겼어요. 그런 다음 점토판을 불에 구워서 돌처럼 딱딱하게 굳혔지요. 그 덕분에 우리가 오래된 요리책을 지금도 읽을 수 있어요.

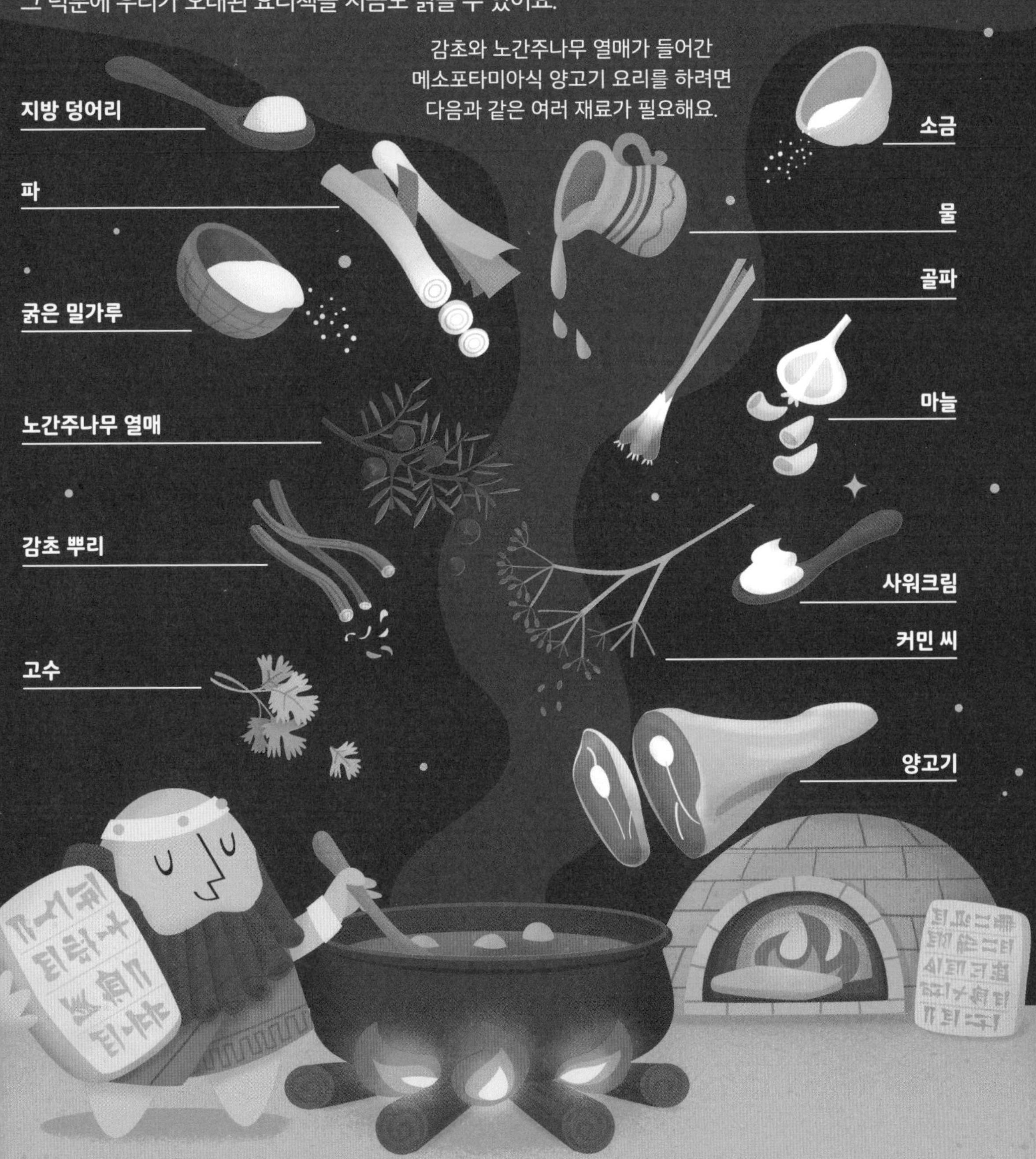

서기는 쐐기처럼 보여서 **쐐기 문자**라고 불리는 글자를 써서 요리법을 점토판에 새겼어요. 육수, 고기 파이, 곡물 죽의 요리법을 기록했지요.

다만 몇 가지 중요한 내용은 빠뜨렸어요. 각 재료를 얼마나 넣어야 하는지, 어떤 식으로 섞는지는 알 수 없어요.

4 음식 맛의 80퍼센트는…

실제로는 냄새로 느끼는 거예요.

사람의 혀는 **기본적인 맛** 몇 가지만을 느낄 수 있어요.
여기에 후각이 결합되어서 **수백만 가지의 향미(음식 맛)**를 느끼는 거예요.
어떻게 그럴 수 있는지 알아봐요.

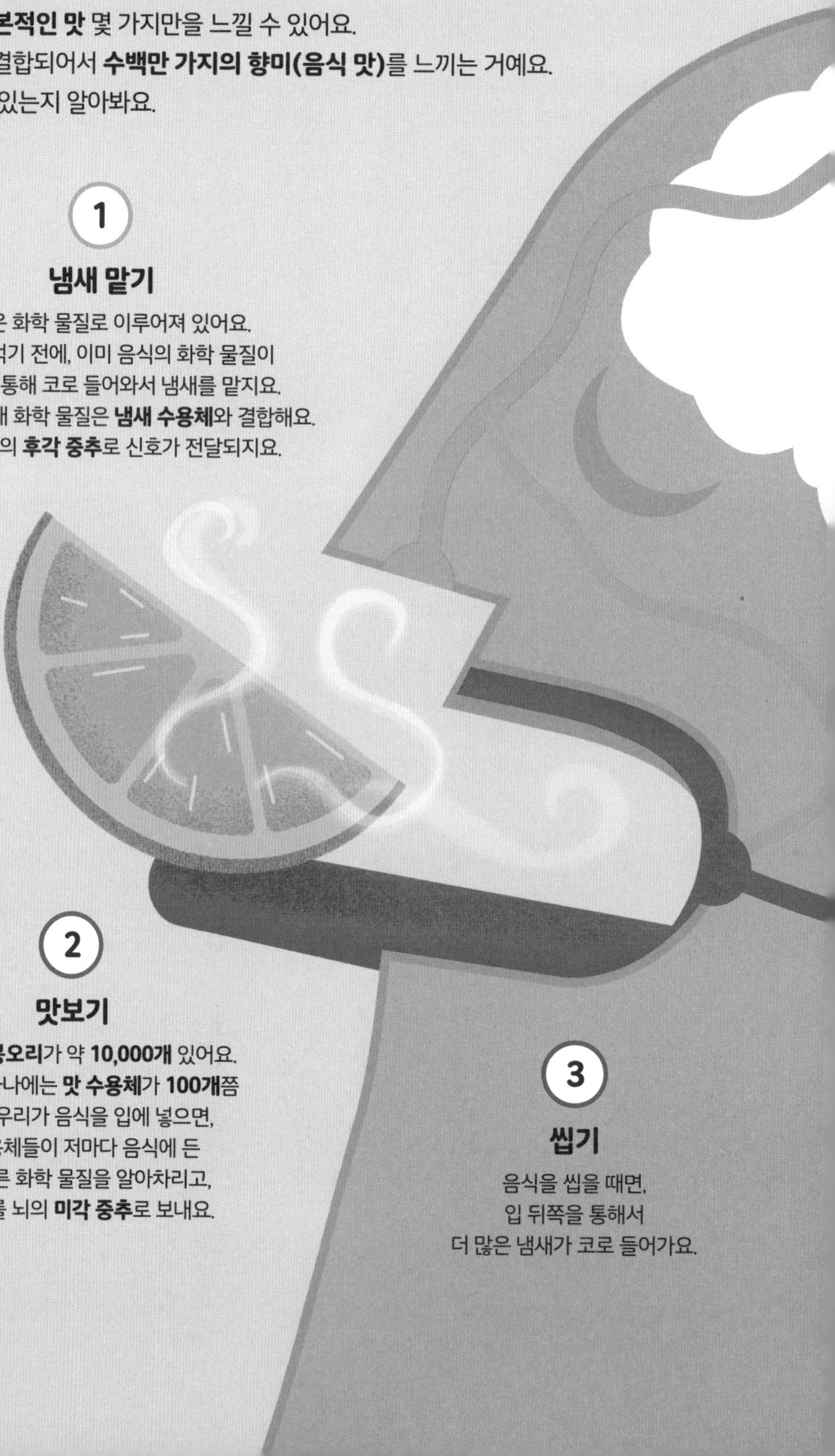

1

냄새 맡기

음식은 화학 물질로 이루어져 있어요.
음식을 먹기 전에, 이미 음식의 화학 물질이
콧구멍을 통해 코로 들어와서 냄새를 맡지요.
코 속에서 냄새 화학 물질은 **냄새 수용체**와 결합해요.
그러면 뇌의 **후각 중추**로 신호가 전달되지요.

2

맛보기

혀에는 **맛봉오리**가 약 **10,000개** 있어요.
맛봉오리 하나에는 **맛 수용체**가 **100개**쯤
있고요. 우리가 음식을 입에 넣으면,
맛 수용체들이 저마다 음식에 든
서로 다른 화학 물질을 알아차리고,
그 신호를 뇌의 **미각 중추**로 보내요.

3

씹기

음식을 씹을 때면,
입 뒤쪽을 통해서
더 많은 냄새가 코로 들어가요.

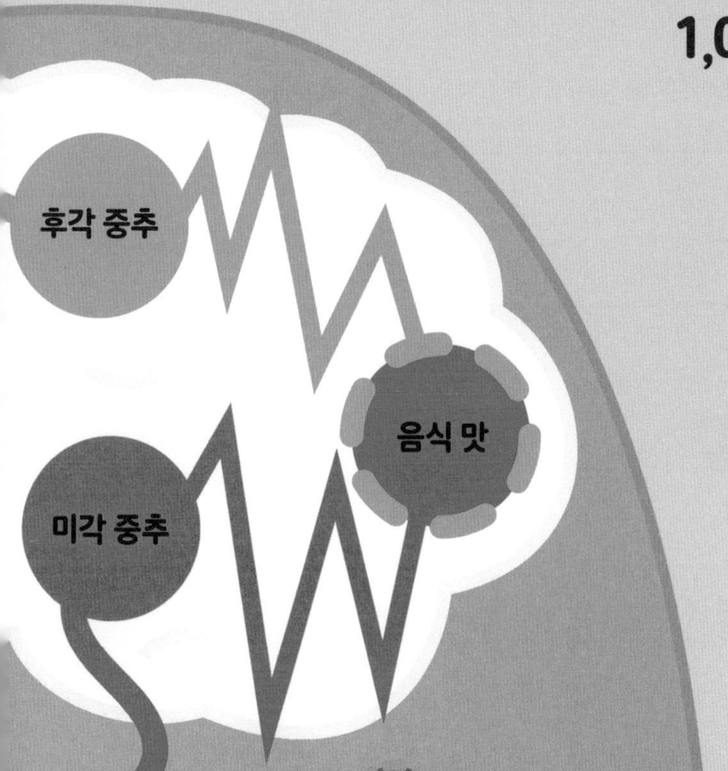

후각 중추

음식 맛

미각 중추

4

맛 알아차리기

뇌 안에서 미각 중추와 후각 중추로부터 오는
신호들이 결합해요. 그러면 이 음식이
이런 **맛**이구나 하고 느끼게 되지요.

맛 + 냄새 = 음식 맛

과학자들은 사람이 대개
1,000,000,000,000가지
냄새를 구별할 수 있다고 생각해요.

대부분의 과학자들은 사람의 혀가
기본 맛 5가지를
느낄 수 있다고 봐요.

바로
쓴맛
짠맛
단맛
신맛
감칠맛!

하지만 녹말 맛,
금속 맛, 멘톨 맛 등
기본 맛이 더 있을 것이라고
생각하는 과학자들도 있어요.

우리에게 후각이 없다면,
5가지 기본 맛만 느낄 수 있어요.
심한 감기에 걸리면
음식 맛을 전혀 못 느끼는
이유가 바로 이 때문이지요.

5 상어에게 잡아먹히는 사람보다…

사람이 잡아먹는 상어가 훨씬 많아요.

영화나 텔레비전에서 상어는 사람을 잡아먹는 포식자로 그려지곤 해요. 정말로 상어는 이따금 사람을 잡아먹어요. 하지만 상어가 잡아먹는 사람보다 사람이 잡아 죽이는 상어가 훨씬 더 많답니다.

상어는 전 세계에서 요리 재료로 쓰여요.

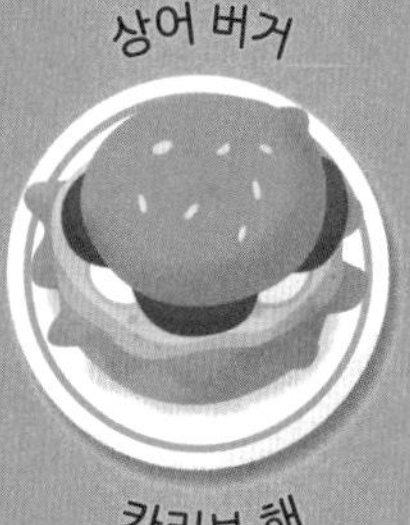

상어 버거

카리브 해

상어와 감자튀김

오스트레일리아

상어지느러미 수프

중국

상어 스테이크

전 세계

상어는 1,000종이 넘을 만큼 다양하지만, 몇몇 종은 멸종 위기에 빠져 있어요. 그래서 이런 상어 종들을 잡지 못하게 금지한 나라들이 있어요. 또 상어를 잔인한 방법으로 잡지 못하게 금지한 나라들도 있지요.

6 낙타젖은…

목숨을 구해 줄 수 있어요.

아프리카와 중동의 메마른 땅에서는 소젖보다 낙타젖을 더 많이 마신답니다.
낙타는 며칠 동안 물을 한 모금도 안 마셨을 때에도 젖이 계속 나오거든요.
그래서 가뭄 때에도 사람에게 음식을 줄 수 있어요.

가뭄이 아주 심하면 작물도 가축도 죽을 수 있어요. 하지만 낙타젖을 마실 수 있다면
다른 음식이 거의 없는 시기에도 사람들은 버틸 수 있어요.

7 비타민은 능력이 있어요…

몸을 보호하고 튼튼하게 하지요.

음식에는 **비타민**이라는 강력한 물질이 들어 있어요. 비타민은 종류마다 몸에서 하는 일이 달라요. 여러 가지 비타민들은 우리 몸의 성장과 발달을 돕고, 질병과 상처로부터 몸을 지켜 줘요.

A

초능력: 시력 강화
힘의 원천: 당근, 과즙

C

초능력: 질병 저항
힘의 원천: 감귤, 고추, 딸기

비타민 C는 몸속에서 몇 시간 동안만 머무르기 때문에 매일 새로 채워 줘야 해요.

B_9

암호명: 엽산(폴산)
초능력: 세포와 DNA 생성
힘의 원천: 시금치, 아스파라거스

비타민 B_9는 임신부에게 대단히 중요해요. 엄마 배 속 아기의 뇌와 척추가 정상적으로 발달하는 데 필요하거든요.

E

초능력: 세포 보호
힘의 원천: 견과, 씨

건강한 균형

몸에 어떤 비타민이 너무 적으면 **결핍증**이 생겨요. 그러면 건강을 해칠 수도 있어요.

비타민 D가 너무 적으면 구루병에 걸릴 수 있어요. 다리뼈가 약해지고 물러져 휘어지는 병이에요.

어떤 비타민은 몸에 너무 많이 쌓이기도 해요. 비타민은 너무 부족해도 위험하고 너무 많아져도 위험할 수 있어요.

비타민 D가 너무 많으면 콩팥이 망가질 수 있어요.

K

초능력: 출혈 멈춤
힘의 원천: 브로콜리, 방울양배추

창자에서도 여러 종류의 비타민 K가 만들어져요.

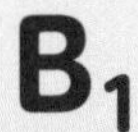

B_1

암호명: 티아민
초능력: 두뇌 능력
힘의 원천: 콩, 생선

비타민 D는 광물질인 칼슘과 힘을 합쳐서 뼈를 만들고 튼튼하게 해요.

B_2

암호명: 리보플라빈
초능력: 에너지
힘의 원천: 닭고기

D

초능력: 뼈 강화
힘의 원천: 생선 기름, 달걀

8 속이 말랑말랑한 초콜릿은…

저절로 녹아서 만들어져요.

민트 초콜릿처럼 속에 말랑말랑한 소가 들어 있는 초콜릿이 있어요. 하지만 초콜릿 속에 든 것은 처음에는 말랑말랑하지 않고 딱딱했어요. 초콜릿으로 감싸인 뒤에 비로소 녹은 거예요. 스스로 분해된 거죠.

수크로스는 포도당 분자와 과당 분자가 화학 결합으로 연결된 물질이에요. 인베르타아제는 이 화학 결합을 끊어서 분해하지요.

인베르타아제가 수크로스를 쪼개요.

꿀벌은 몸에서 인베르타아제를 만들어요. 그리고 이 효소를 써서 식물의 굳은 꽃꿀을 줄줄 흘러내리는 벌꿀로 바꾼답니다.

9 콘플레이크는 자기를 띠어요…

철분이 들어 있거든요.

콘플레이크 같은 아침 식사용 시리얼은 대개 성분을 **강화**한 거예요. 즉 비타민과 광물질을 섞어서 영양가를 더 높였다는 뜻이에요. 콘플레이크에 첨가된 철분은 우리 몸속에 들어가서 피가 산소를 더 많이 운반할 수 있도록 도와요.

10 우리 몸에는 소화할 수 없는…

음식도 필요해요.

채소, 곡물, 견과 같은 식물성 식품에는 우리 몸이 흡수할 수 없는 물질도 들어 있어요. 하지만 이 물질은 우리 건강에 대단히 중요해요. 바로 **식이성 섬유**예요.

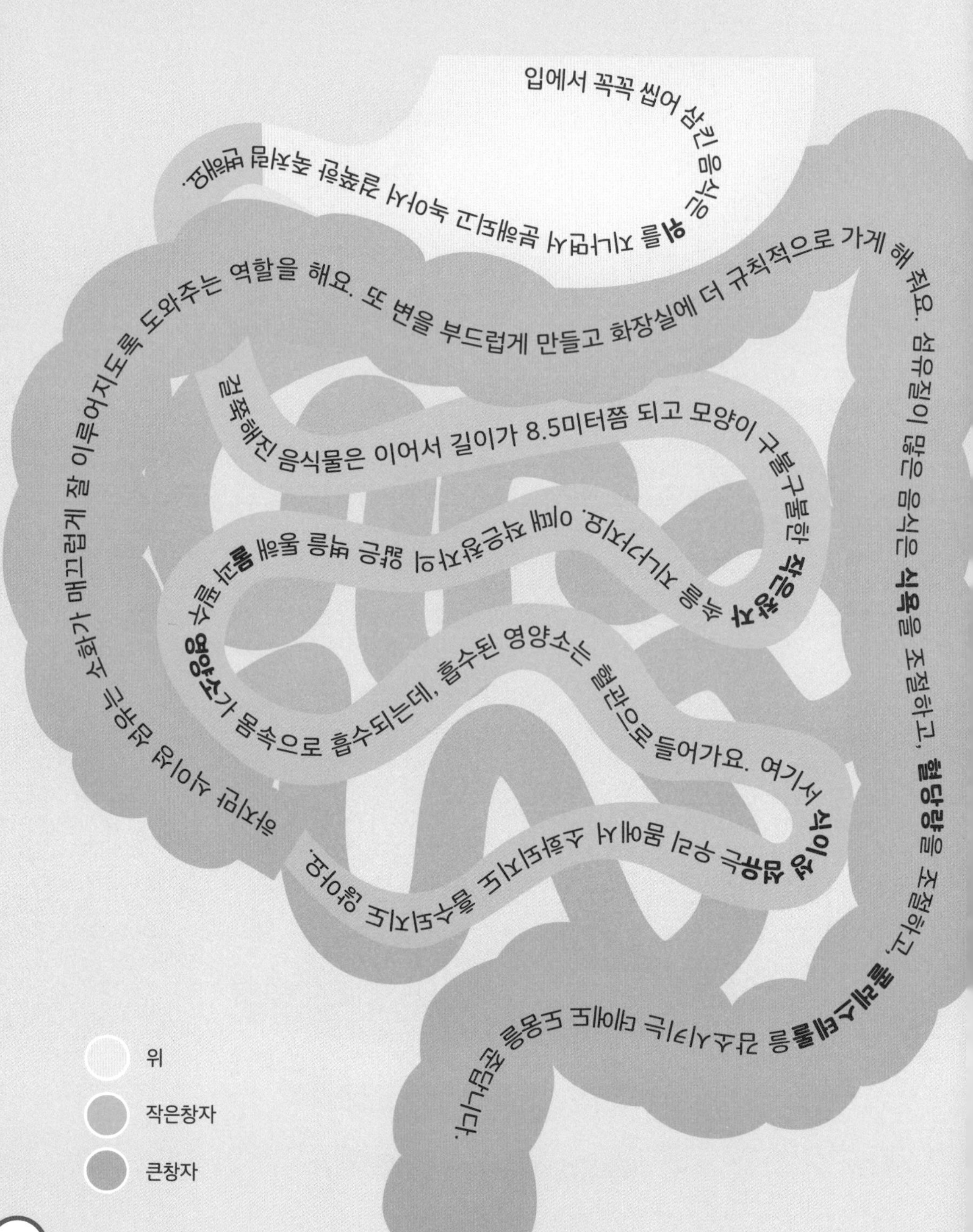

11 우주 비행사에게 이상적인 아침 식사는…

스테이크와 달걀이에요.

초기 우주 탐사를 준비하던 때에 미국 우주 비행사들은 식이성 섬유가 적은 음식을 먹었어요. 좁디좁은 우주 캡슐 안에서 봉지에 용변 보는 일을 줄이기 위해서였지요.

최초의 우주 캡슐은 아주 작아서
변기를 갖춘 욕실을 설치할 수가
없었어요…

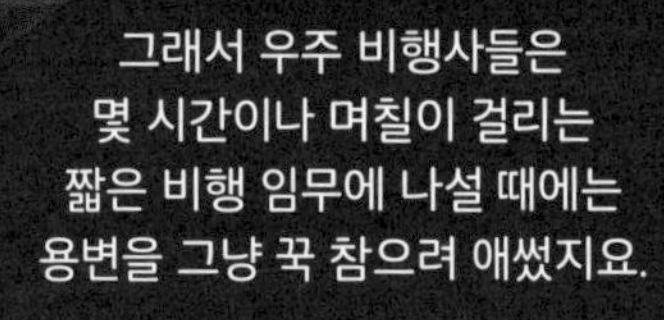

그래서 우주 비행사들은
몇 시간이나 며칠이 걸리는
짧은 비행 임무에 나설 때에는
용변을 그냥 꾹 참으려 애썼지요.

우주 비행사들을 위해 나사(NASA)는
저잔류 음식이라는 특수한 음식을 개발했어요.

발사하기 며칠 전부터,
우주 비행사들은
식이성 섬유가 적고 단백질과
지방이 많은 음식을 먹었어요.

오늘의 특별한 아침 식단

- 베이컨, 절인 돼지고기 또는 햄
- 달걀 요리
- 스테이크: 티본, 등심 또는 꽃등심

단백질과 지방에서는 배설물이
거의 생기지 않았고, 섬유질이 부족하니
가벼운 변비가 생겼지요.
며칠 동안 지구 궤도를 돌아야 하는
우주 비행사에게 이상적인 식단이었어요.

12 당분은 우리를 더 배고프게 해요…

소화가 너무 빨리 될 수 있거든요.

누가 먹든 간에, 음식에는 당분이 어느 정도 들어 있어야 해요.
하지만 당분이 든 음식 중에는 먹은 뒤에 금방 피곤해지는 것도 있어요.
두 종류의 다른 음식을 먹었을 때 우리 몸속에서 어떤 일이 일어나는지 살펴볼까요?

흰 빵? 아니면 통곡물 빵?
에너지를 꾸준히 얻고 싶다면, 갈색 빵이나 갈색 파스타와 같은 **통곡물 음식**을 먹어요.
통곡물 음식에는 섬유질이 많이 들어 있어요. 흰 빵이나 흰 국수보다 많아요. 섬유질은 당 분자가 혈액으로 더 천천히 흡수되도록 해 줘요.
3
큰 분자가 분해되는 데 시간이 걸리므로, 피 속의 혈당량은 천천히 꾸준하게 늘어나요. 그래서 에너지가 나오는 시간도 더 오래 계속되지요.
4
인슐린은 당을 세포로 넣는 일을 해요. 세포 안에서 당은 에너지로 바뀌어요. 또 인슐린은 간이 남는 당을 모아서 저장하도록 해요.
5
인슐린이 갑자기 왈칵 분비되면 간은 많은 양의 당을 받아들이게 돼요. 방금 먹은 양보다 더 많이요. 그래서 혈당량이 아주 낮아져요.
6
이것을 **당 무력감**이라고 해요. 그럴 때 배고프고 피곤하고 짜증이 날 수 있어요.

13 미라클 베리를 먹으면...

레몬이 달게 느껴져요.

서아프리카에는 **미라클 베리**라는 작고 빨간 열매를 맺는 나무가 자라요. 그런데 이 미라클 베리를 먹고 다른 음식을 먹으면, 모든 것이 달게 느껴져요. 시큼한 레몬과 식초까지도 달아진답니다.

이 열매에 든 **미라쿨린**이라는 화학 물질은 혀의 맛봉오리에 결합하여 수용체의 모양을 바꿔요.

맛 수용체가 변형되면 한 시간 동안 맛보는 모든 것이 달게 느껴져요.

과학자들은 미라클 베리로 감미료를 만드는 연구를 하고 있어요. 음식에 들어가는 당분을 더 줄이려고요.

14 양파를 썰면 눈으로 산이 가득 들어와요…

그래서 눈물을 흘리는 거예요.

양파를 썰 때면, 양파 세포가 터지면서 화학 반응이 일어나요.
이때 생기는 물질 때문에 눈물이 나는 거예요.

15 껌을 씹으면 좋아요…

수술 후 회복에 도움이 될 수 있거든요.

어떤 수술은 하고 나면, 소화계가 일시적으로 활동을 멈출 수 있어요.
그러면 소화계가 회복될 때까지 아무것도 먹지 않는 편이 안전해요.
껌 같은 것을 씹되 삼키지 않으면, 소화계가 더 빨리 활동하도록 자극할 수 있어요.

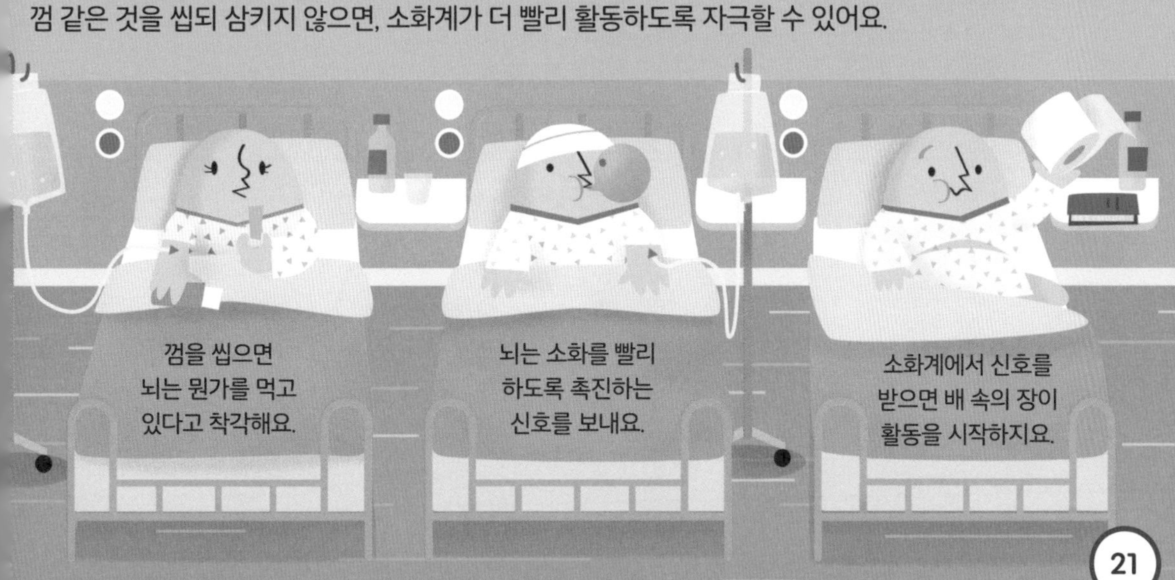

16 우리는 먹을 수 있는 식물 중에서…

1퍼센트도 채 안 먹고 있어요.

전문가들은 식물이 350,000종이 넘는다고 추정해요. 그중에 약 80,000종은 씨나 잎, 뿌리 등 사람이 먹을 수 있는 부위를 지니고 있어요. 그런데 식물들 중에 지금까지 사람이 먹어 본 종은 아주 적고, 농장에서 대량으로 재배하는 종은 훨씬 더 적어요.

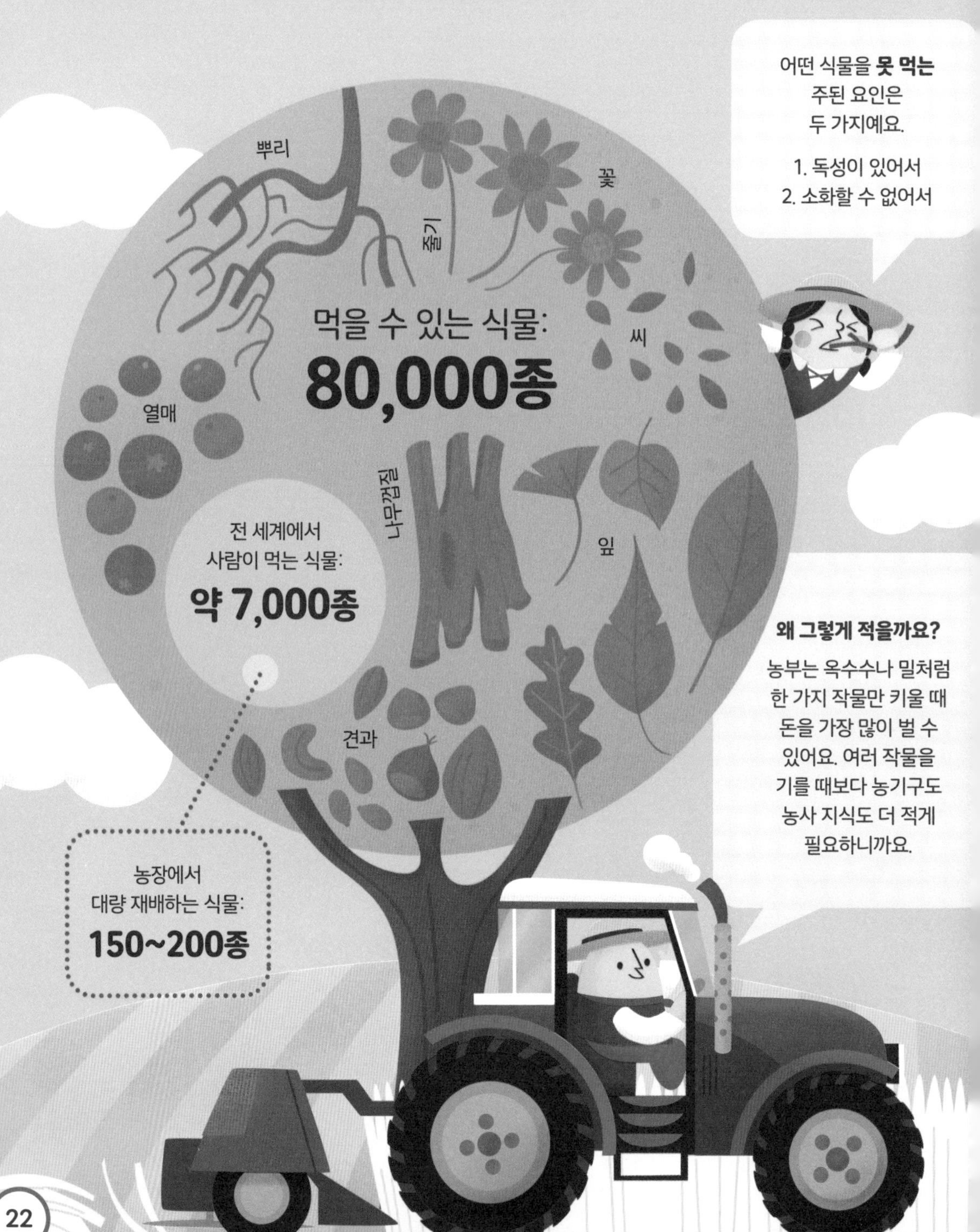

17 요리사 모자에 있는 주름 하나하나는…

달걀을 요리하는 방법을 나타내요.

요리사 모자는 **토크**라고도 하는데, 본래는 주름이 100개 잡혀 있어요.
각 주름은 달걀을 요리하는 방법을 나타낸다고 하지요.
그러니까 달걀을 100가지 방법으로 요리할 수 있다는 뜻이에요.

그냥 전해지는 이야기일 수도 있어요. 하지만 모양이 다른 요리사 모자들은 각각 다른 의미가 있어요.

어떤 주방에서는 요리사의 등급을 나타내기도 해요. 가장 중요한 요리사가 주름이 가장 많은 모자를 쓰거나…

가장 긴 모자를 써요.

주방장

달걀 요리법

18 빵 한 조각을 만들기까지…

거의 1년이 걸릴 수도 있어요.

빵은 세계에서 가장 오래되고 중요한 음식 중 하나예요. 많은 사람들이 매일 새로운 빵을 사 먹어요. 하지만 밭에 뿌린 밀 씨앗이 식탁에 오르는 빵이 되기까지 9개월이 넘게 걸릴 수 있어요.

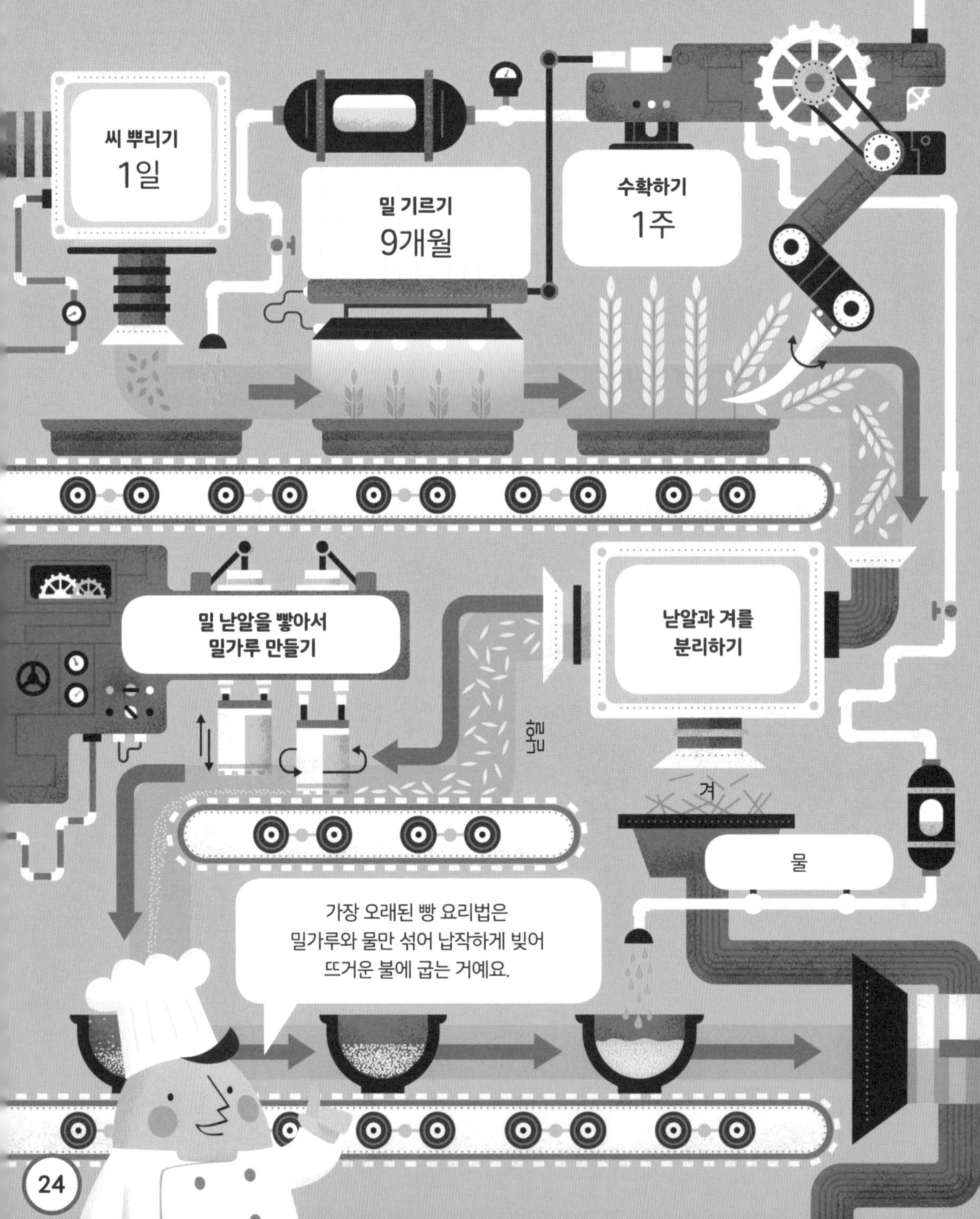

19 효모는 부글거리면서…

빵을 부풀어 오르게 해요.

효모라고 부르는 미세한 균류와 약간의 당을 넣으면 빵 반죽이 부풀어 올라요.
효모는 반죽에 섞인 당을 먹고서, 알코올과 이산화탄소가 든 거품을 일으켜요.
이 거품으로 빵이 부풀어 오르지요.

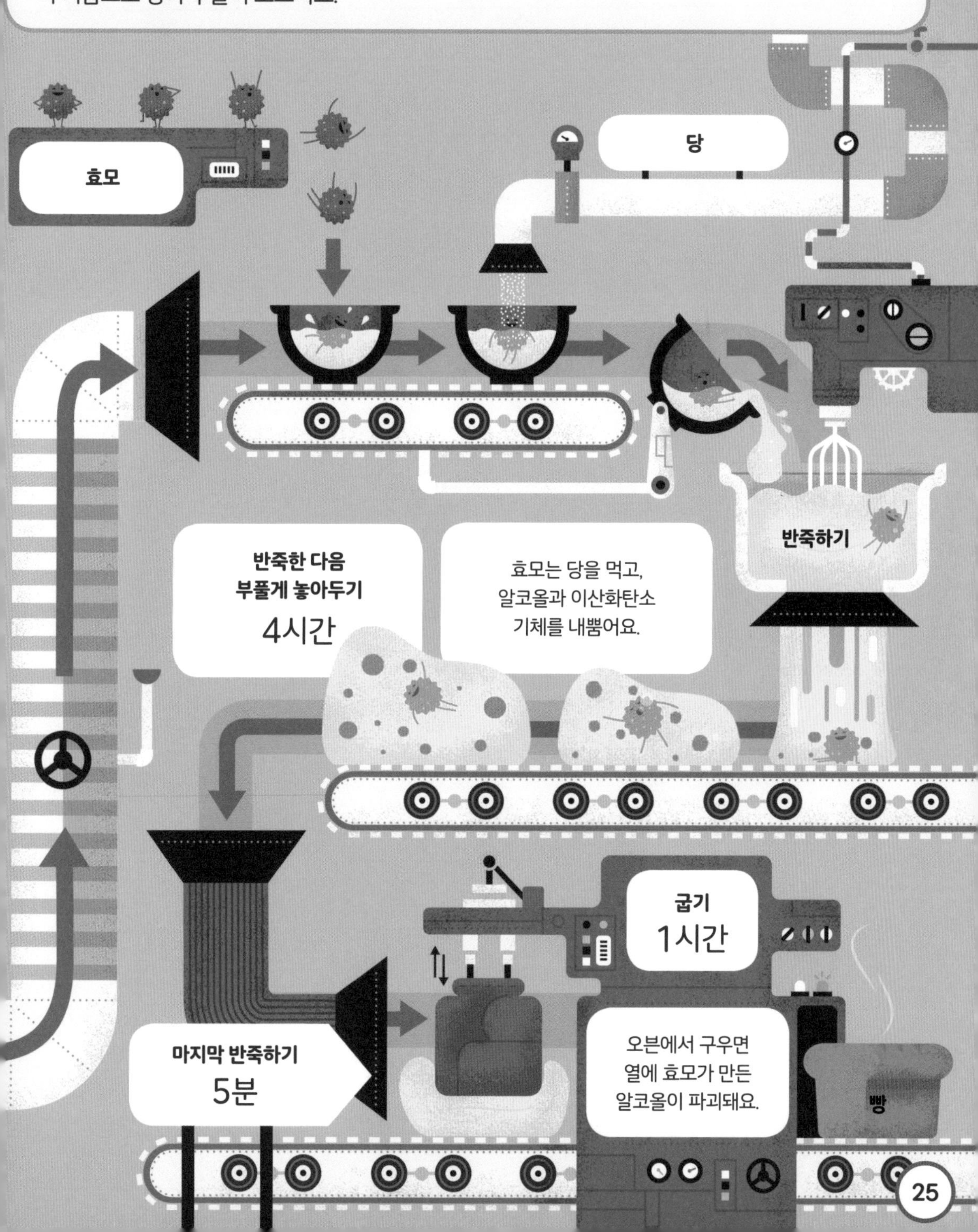

20 날마다 무지개 색 음식을 먹으면…

의사를 만날 일이 줄어요.

많은 의사들은 사람들에게 매일 다양한 색깔의 과일과 채소를 골고루 많이 먹으라고 권해요. 다양한 색깔의 식품에는 몸을 건강하게 하는 데 도움을 주는 화학 물질과 영양소가 고루 섞여 있어요.

리코펜은 여러 과일과 채소를 빨갛게 만드는 물질이에요. 심장을 건강하게 유지하는 데 도움을 줘요.

베타카로틴은 여러 과일과 채소를 오렌지색과 노란색으로 물들여요. 피부와 눈에 좋아요.

비타민 C는 노란색 과일과 오렌지색 과일에 많아요. 병에 잘 견딜 수 있도록 몸을 튼튼하게 해요.

루테인은 녹색 식품에 많아요. 눈병을 예방하는 데 도움을 주지요. 녹색 잎에는 **엽산(폴산)**도 많은데, 건강한 세포를 만드는 일을 도와주는 물질이에요.

안토시아닌은 과일과 채소가 파란색이나 자주색을 띠게 만들어요. 기억을 강화하고 심장을 건강하게 유지하는 데 도움을 줘요.

21 음식에 중독될 수는 없지만…

먹는 데 중독될 수는 있어요.

음식을 먹을 때, **도파민**이라는 화학 물질이 뇌에서 나와요. 도파민은 우리를 즐겁고 흐뭇하게 만들어 줘요. 이렇게 좋아졌던 기분이 가라앉으면 다시 좋은 기분을 느끼고 싶은 마음이 생겨요. 이 과정은 계속 되풀이되지요.

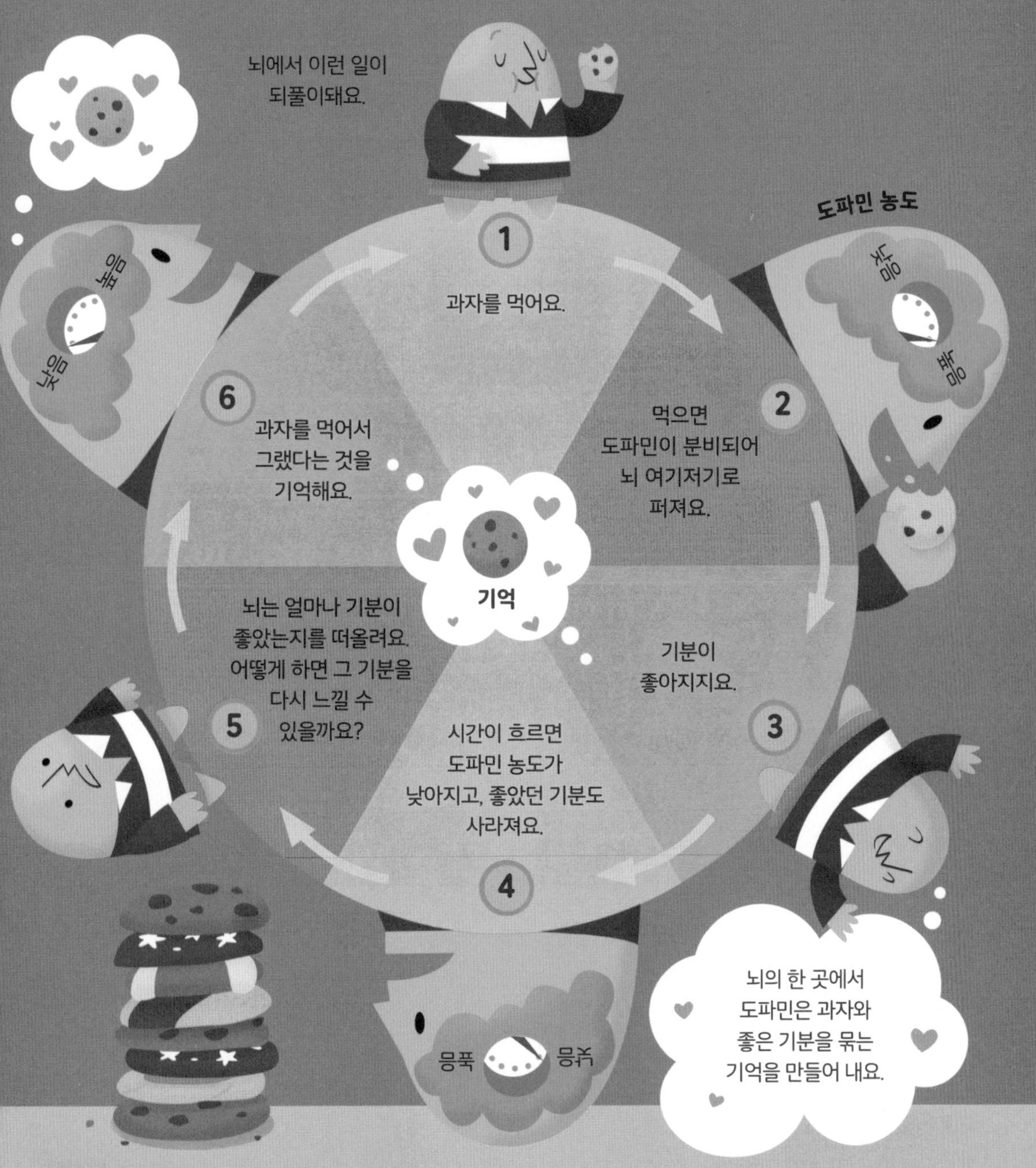

중독을 일으키는 것은 과자 자체가 아니라, 먹었을 때 도파민이 분비되면서 좋은 느낌이 일어나는 과정이에요. 이 과정을 **보상 경로**라고 해요.

22 고기에는 철분이 들어 있고…

밀에는 스트론튬이 들어 있어요.

우주의 모든 것은 겨우 118가지 화학 원소로 이루어져 있어요. 많은 식품에는 **광물질**이라는 원소들도 들어 있어요. 아래에 그려진 그림은 118가지 원소를 나타내는 주기율표라고 해요. 어떤 음식에 어떤 광물질이 들어 있는지 살펴볼까요?

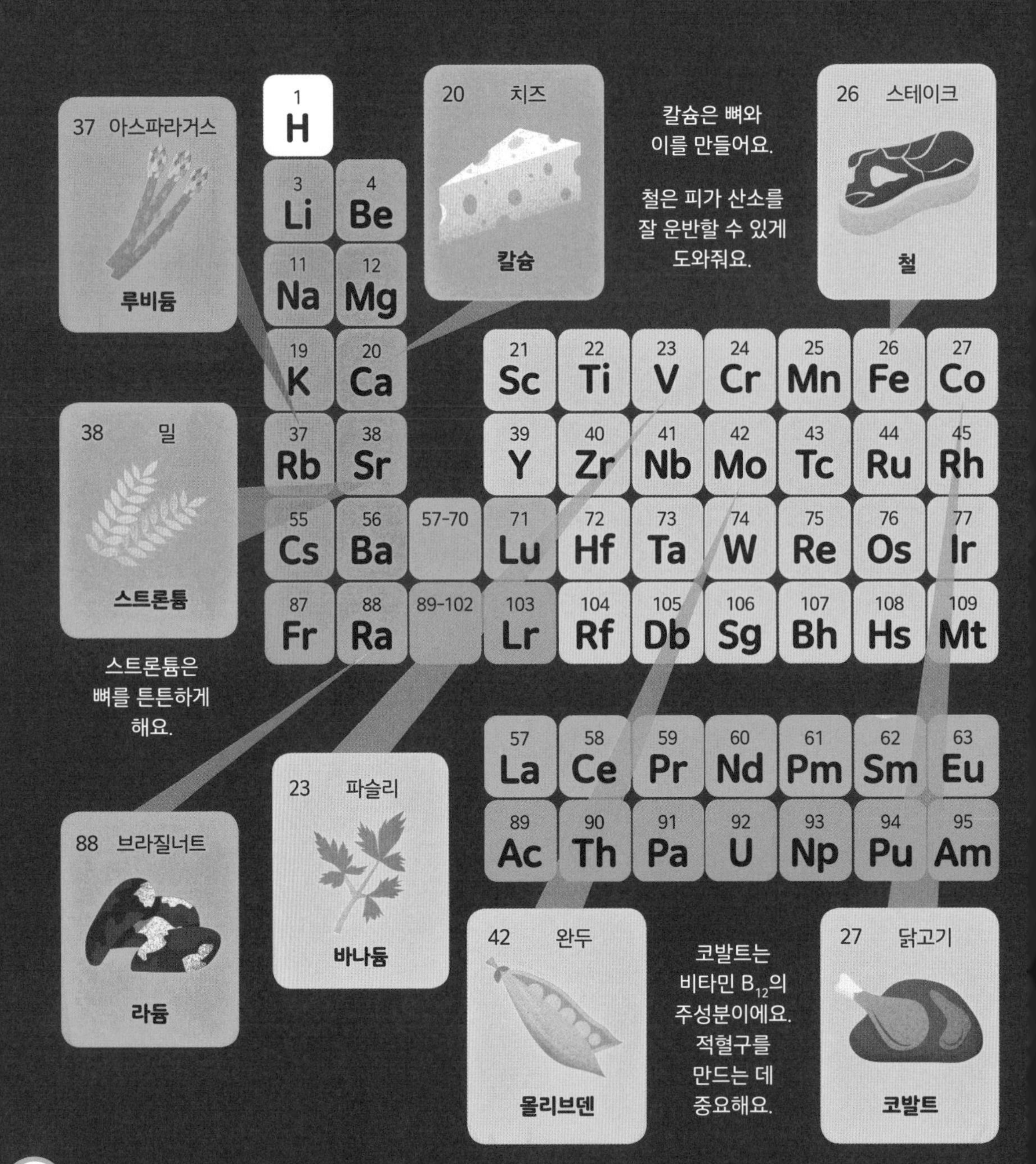

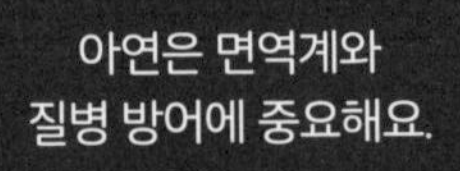

아연은 면역계와
질병 방어에 중요해요.

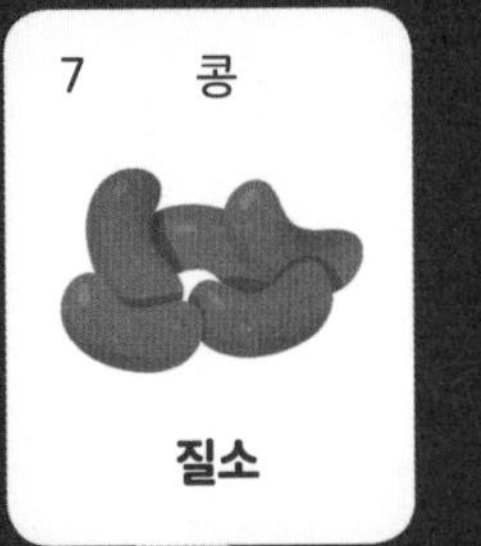

질소는 몸에서
근육이 만들어지는 데
도움을 줘요.
운동선수는 더 힘센
근육을 만들기 위해
질소가 풍부한 음식을
많이 먹어요.

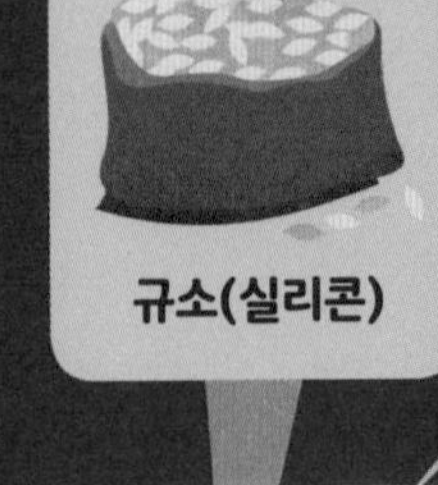

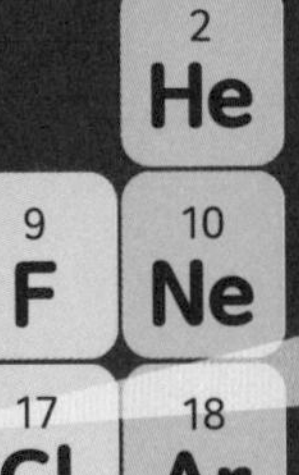

								2 He
			5 B	6 C	7 N	8 O	9 F	10 Ne
			13 Al	14 Si	15 P	16 S	17 Cl	18 Ar
28 Ni	29 Cu	30 Zn	31 Ga	32 Ge	33 As	34 Se	35 Br	36 Kr
46 Pd	47 Ag	48 Cd	49 In	50 Sn	51 Sb	52 Te	53 I	54 Xe
78 Pt	79 Au	80 Hg	81 Tl	82 Pb	83 Bi	84 Po	85 At	86 Rn
110 Ds	111 Rg	112 Cn	113 Nh	114 Fl	115 Mc	116 Lv	117 Ts	118 Og

황은 콜라겐과
케라틴에
많이 들어 있어요.
둘은 피부와 털의
주성분이에요.

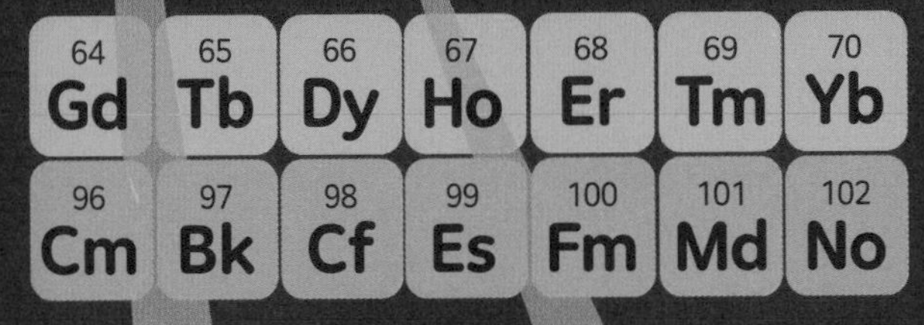

수은과 비소 같은 몇몇 원소는
독성이 아주 강해요. 몸이 건강하려면
비소가 아주 조금은 필요하지만
너무 많아지면 아주 위험해져요.

23 과자에는 폭발물보다…

더 많은 에너지가 들어 있어요.

식품에 든 에너지는 열량이라고도 하는데, **칼로리**로 표시해요. 모든 에너지에 쓰이는 공통 단위인 **킬로줄**로 나타낼 때도 있어요. 음식을 먹으면, 몸은 열량을 흡수해요. 이 열량은 우리가 생각하고 움직이고 살아가는 데 필요한 에너지가 되지요.

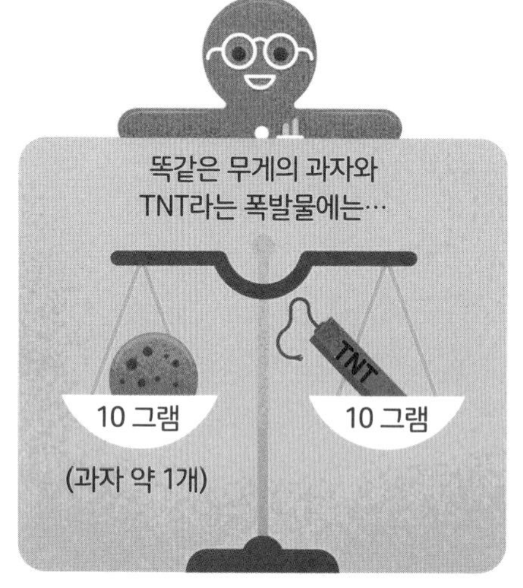

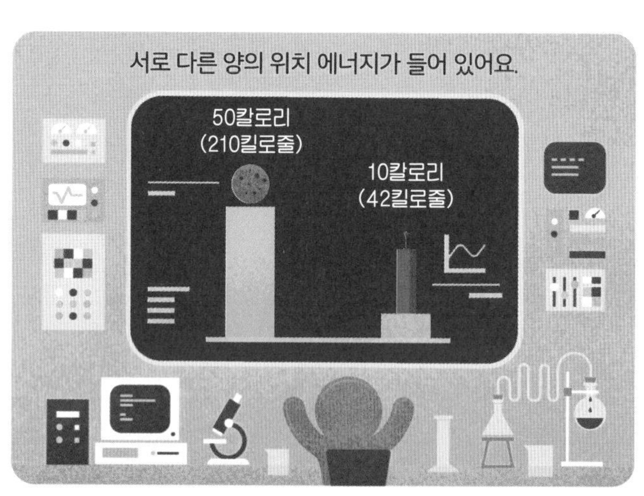

24 치명적인 화학 물질 두 가지로부터…

전 세계 사람들이 좋아하는 조미료가 만들어져요.

나트륨(소듐)과 **염소**는 몸에서 중요한 일을 하지만 따로따로 있을 때는 너무 위험해서 먹지 못해요. 그런데 둘이 결합하면 달라져요. 무해한 염화나트륨이 된답니다. 이것이 바로 우리가 먹는 소금이에요.

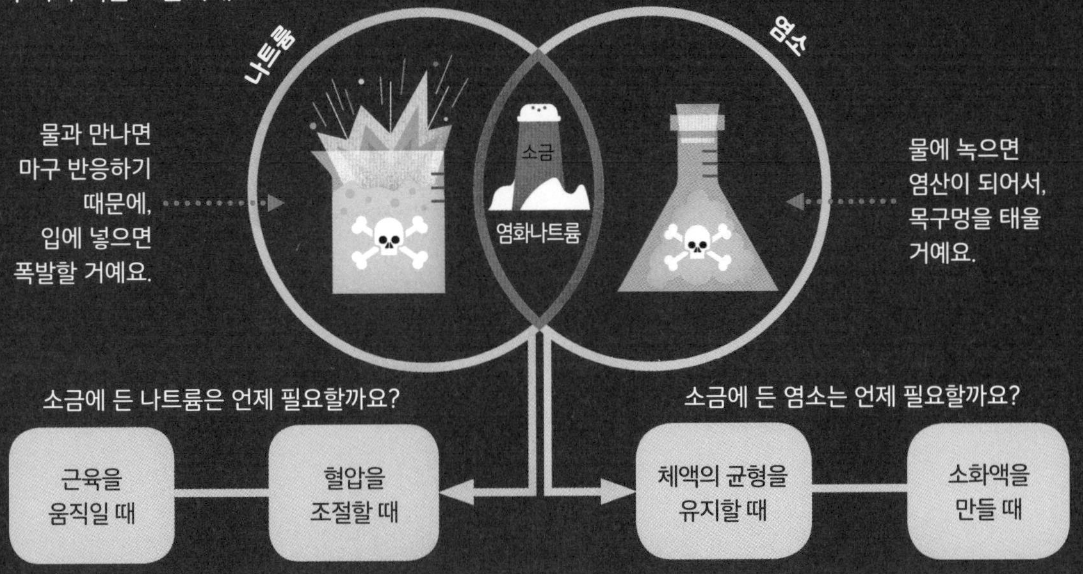

25 파인애플은 범죄자가…

증거를 없앨 때 쓸 수도 있어요.

파인애플에는 **브로멜라인**이라는 부식성 물질이 들어 있어요.
그래서 신선한 파인애플을 많이 만지는 사람은 지문이 닳아 없어질 수 있어요.
즉 범죄 현장에 지문이 남지 않을 수 있다는 뜻이지요.

26 당근은 원래 자주색이었어요…

네덜란드 인이 오렌지색으로 바꾸기 전까지는요.

오늘날 우리가 먹는 맛있는 당근은 오렌지색이에요.
하지만 옛날에 야생 당근은 더 쓰고 하얗고 작았어요.
그 뒤로 오랫동안 농부들이 재배한 당근은 작고 자주색이었지요.

흰 화살표를 따라가면서 당근이 수백 년에 걸쳐 어떻게 변해 왔는지 알아보아요.

선택한 당근

내버린 당근

4,000년 전 고대 그리스 인은 야생 당근을 요리 재료가 아닌 약재로 썼어요. 이 당근은 흰색에 질기고 더 씁쓸했어요.

모든 당근은 저마다 달라요. 한 식물에서 받은 씨를 뿌려도 모양과 크기가 저마다 다른 당근이 자라나지요.

시간이 흐르자, 사람들은 먹기 위해 당근을 기르기 시작했어요. 가장 맛있고 가장 커다란 당근의 씨를 골라서 뿌렸지요.

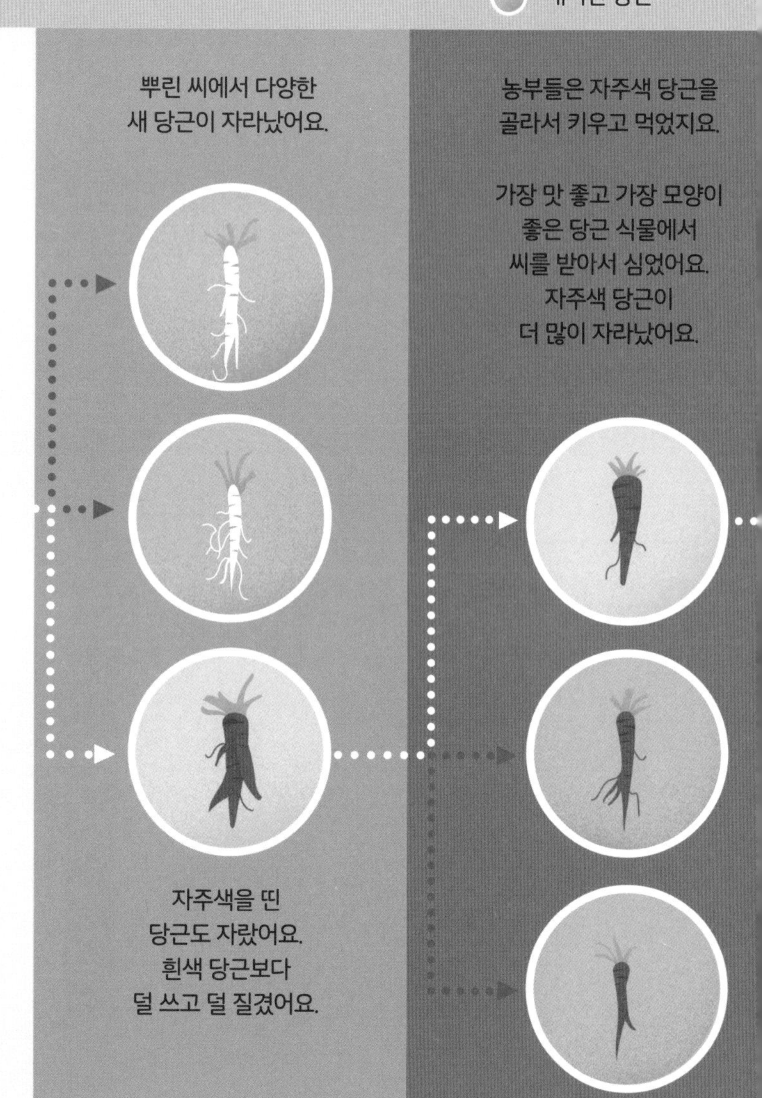

동식물의 화학적 조성을 바꾸어서 모습을 바꾸는 것을
유전자 변형이라고 해요. 농부들은 수천 년 동안
일부러든 우연히든 유전자 변형을 해 왔어요.

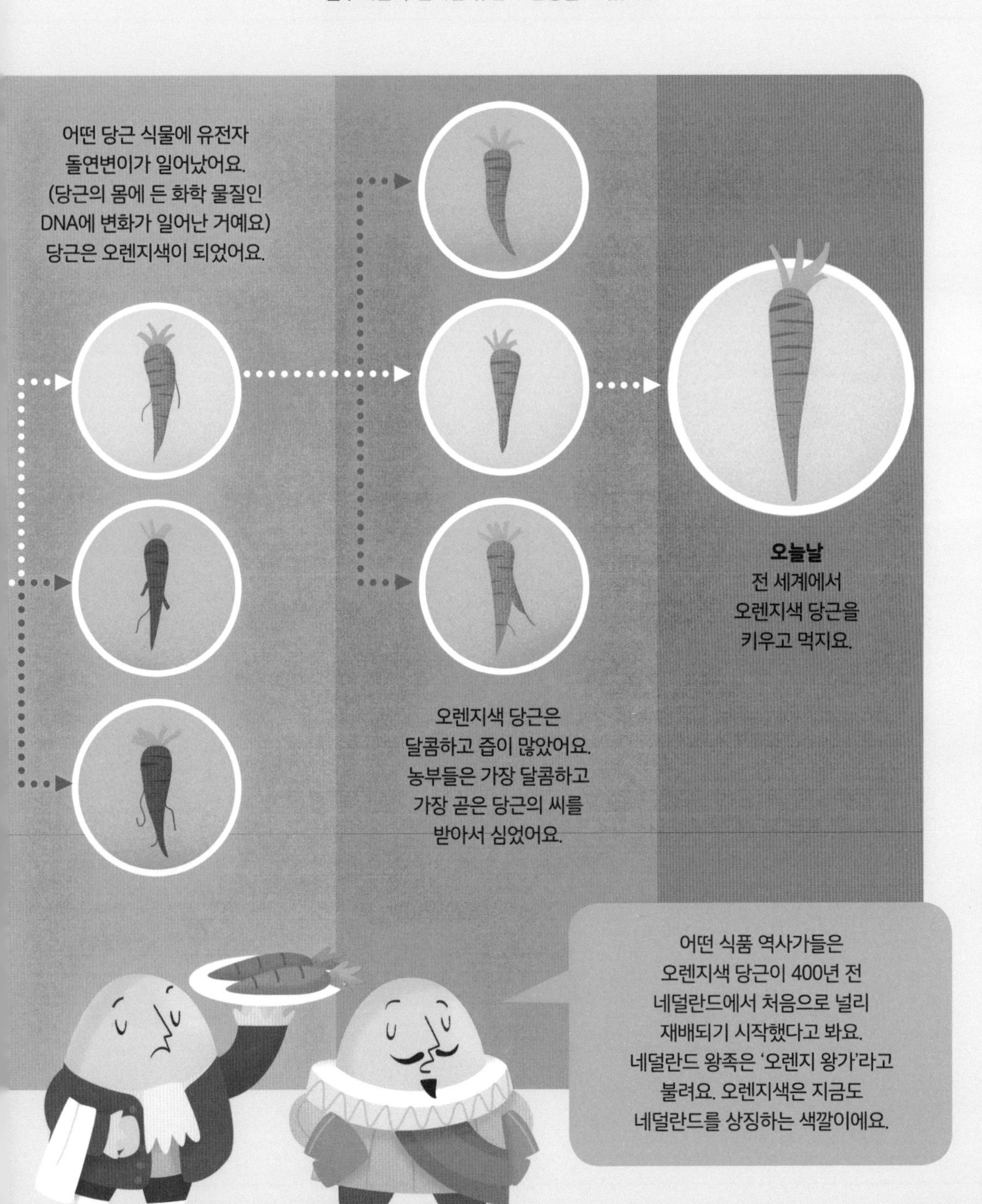

27 영국 뱃사람은 라이미라고 불렸어요…

라임을 늘 먹었거든요.

옛날에 거의 수백 년 동안, 긴 항해를 하는 뱃사람들은 괴혈병이라는 치명적인 병에 걸리곤 했어요. 당시 사람들은 병에 걸리는 이유를 몰랐지만, 라임을 먹으면 나아지는 것 같았어요. 뱃사람들이 라임을 먹기 시작한 지 150년이 더 지나서야, 과학자들은 그 이유를 알아냈답니다.

괴혈병의 증상

- 잇몸이 부어오름
- 관절 통증
- 금방 숨이 참
- 멍이 쉽게 듬
- 황달(피부가 노래지는 것)
- 몸이 부어오름

1500년대 초

탐험가들은 라임을 먹으면 괴혈병 예방에 도움이 된다는 것을 알아차리기 시작했어요.

1747년

의사인 제임스 린드는 처음으로 과학 실험을 통해 라임이 괴혈병 치료에 효과가 있음을 보여 주었어요.

1700년대 말

어느 음식이 괴혈병 예방에 가장 좋은지 알아내기 위해 뱃사람들에게 서로 다른 음식을 주면서 살펴보았어요. 한 선장은 선원들에게 신선한 채소와 보리를 먹였어요. 선원들이 병에 걸리지 않자, 선장은 보리 덕분이라고 믿었어요. 하지만 잘못 생각한 거였어요.

1800년대 초

영국 해군은 선원들에게 라임을 주기 시작했어요. (실제로는 레몬이었대요.) 그래서 영국 선원들은 '라이미'라고 불리게 되었지요. 그 뒤로 괴혈병이 거의 사라졌어요.

1800년대 말까지도, 많은 과학자들은
장거리 항해를 할 때 위생에 힘쓰고,
규칙적으로 운동하고, 즐겁게 지내는 것이
괴혈병을 예방하는 가장 좋은 방법이라고
믿었어요.

1860년

영국 해군은 괴혈병을 막는
비밀 성분이 산 성분이라고 믿었어요.
그래서 라임을 레몬으로 바꾸었어요.
레몬은 산성이 더 강했어요.

1875년

극지 탐험에 나선 사람들은 병에 담긴
라임 주스를 마셨어요. 그런데도
괴혈병에 걸렸어요. 따라서 산 성분이
중요한 것이 아니었어요.

1830년대

헝가리 화학자 얼베르트 센트죄르지가
아스코르브산(비타민 C)을 분리했어요.
그는 신선한 레몬과 라임에 비타민 C가
들어 있고, 이 성분이 괴혈병을
예방한다는 것을 증명했어요.

1830년대

과학자들이 비타민 C를 합성하는 데 성공했어요.
합성 비타민 C는 신선한 과일을 구하기 힘든
사람들에게 영양 보조제로 쓰였어요.

28 닭이 날 수 있다면…

닭 가슴살은 붉은색을 띨 거예요.

근육은 산소를 써서 에너지를 얻어요. 산소를 근육으로 운반하는 일은 **미오글로빈**이라는 붉은 단백질이 해요. 근육에 미오글로빈이 많을수록, 그 부위의 살은 더 붉고 더 진한 색을 띠어요.

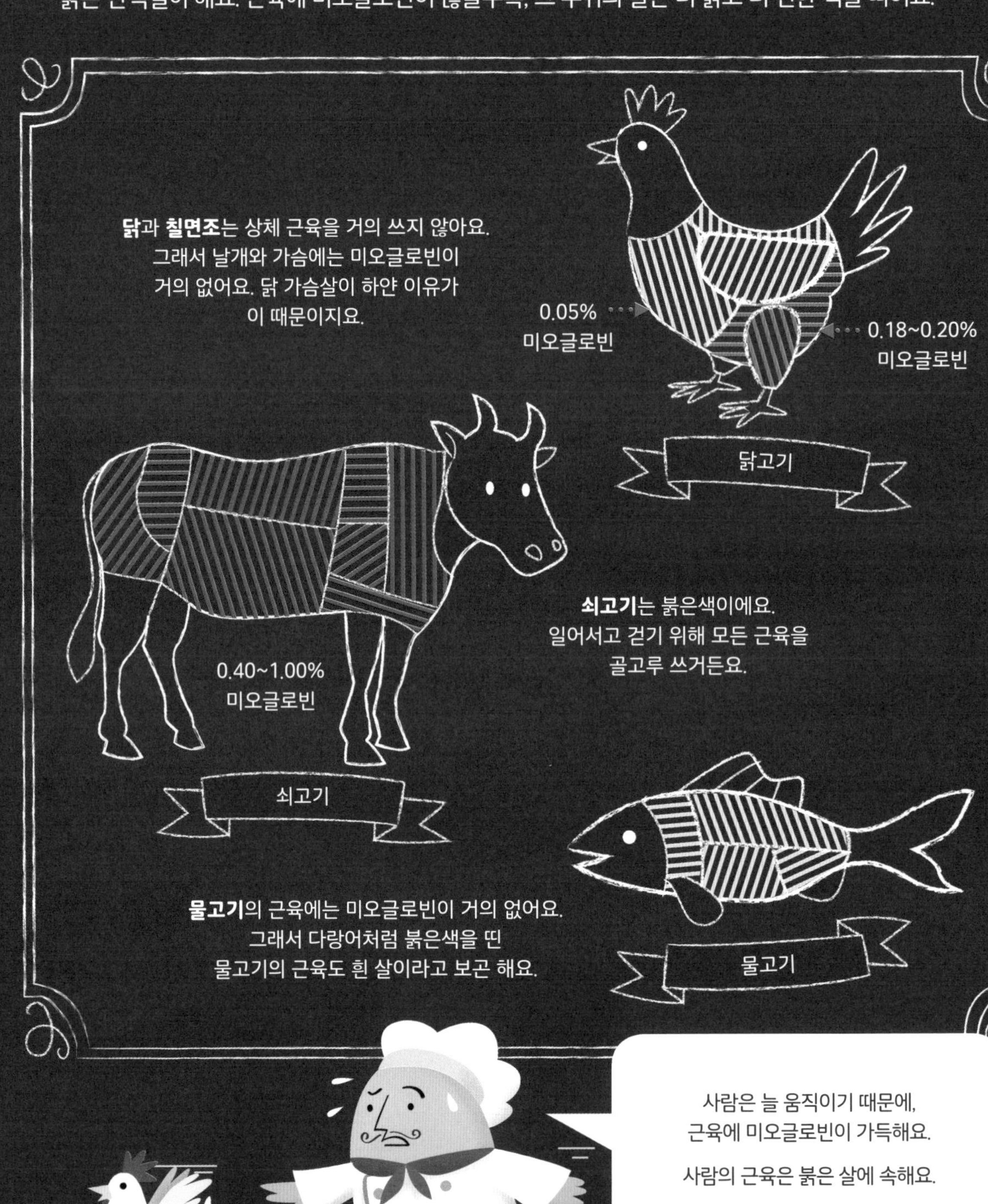

29 실험실에서 키운 버거가…

머지않아 슈퍼마켓에 나올 수도 있어요.

2013년 네덜란드 과학자들은 세계 최초로 실험실에서 쇠고기 버거를 키워 냈어요. **'프랑켄버거'**라는 별명이 붙은 이 버거는 살아 있는 동물로부터 나온 것이 아니에요. 동물의 세포를 배양해서 얻은 고기로 만든 거예요.

1 소의 근육 조직을 떼어 낸 다음, 거기서 세포를 분리해 내요.

2 성장을 돕는 단백질을 세포에 뿌려요. 세포가 근육 섬유로 자라요.

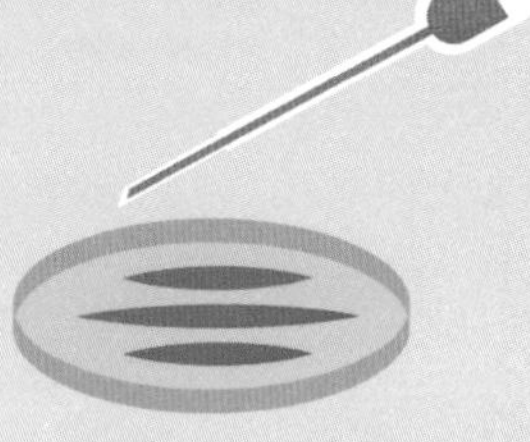

약 6주가 걸려요.

3 약 20,000개의 근육 섬유를 다져서 섞고 모양을 빚어 버거를 만들어요.

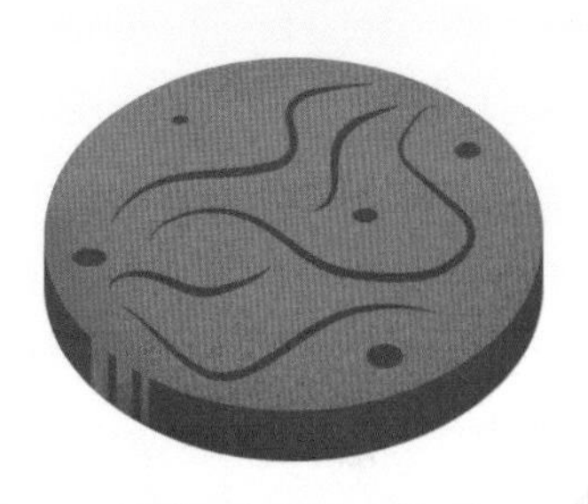

세계 최초의 실험실 버거를 만드는 데에는 평범한 버거를 사는 값보다 약 20,000배 더 많은 돈이 들었어요. 기술이 발전할수록 비용은 줄어들 거예요.

실험실에서 기른 고기라고 하면 별로 먹고 싶은 마음이 안 들지도 몰라요. 하지만 가축에서 얻는 고기보다 좋은 점이 많아요.

- 환경에 영향을 덜 미쳐요.
- 동물에게 해를 끼치지 않아요.
- 지방이 적고 뼈가 없어요.
- 살충제도 성장 호르몬도 전혀 들어 있지 않아요.

30 토스트나 베이컨은 한번 구우면…

되돌릴 수가 없어요.

음식은 요리를 하면 맛, 질감, 모습뿐 아니라 화학 구조도 바뀌어요.
이런 변화는 대개 원래 상태로 되돌릴 수가 없어요.
이를 가리켜 화학에서는 **비가역 반응**이라고 해요.

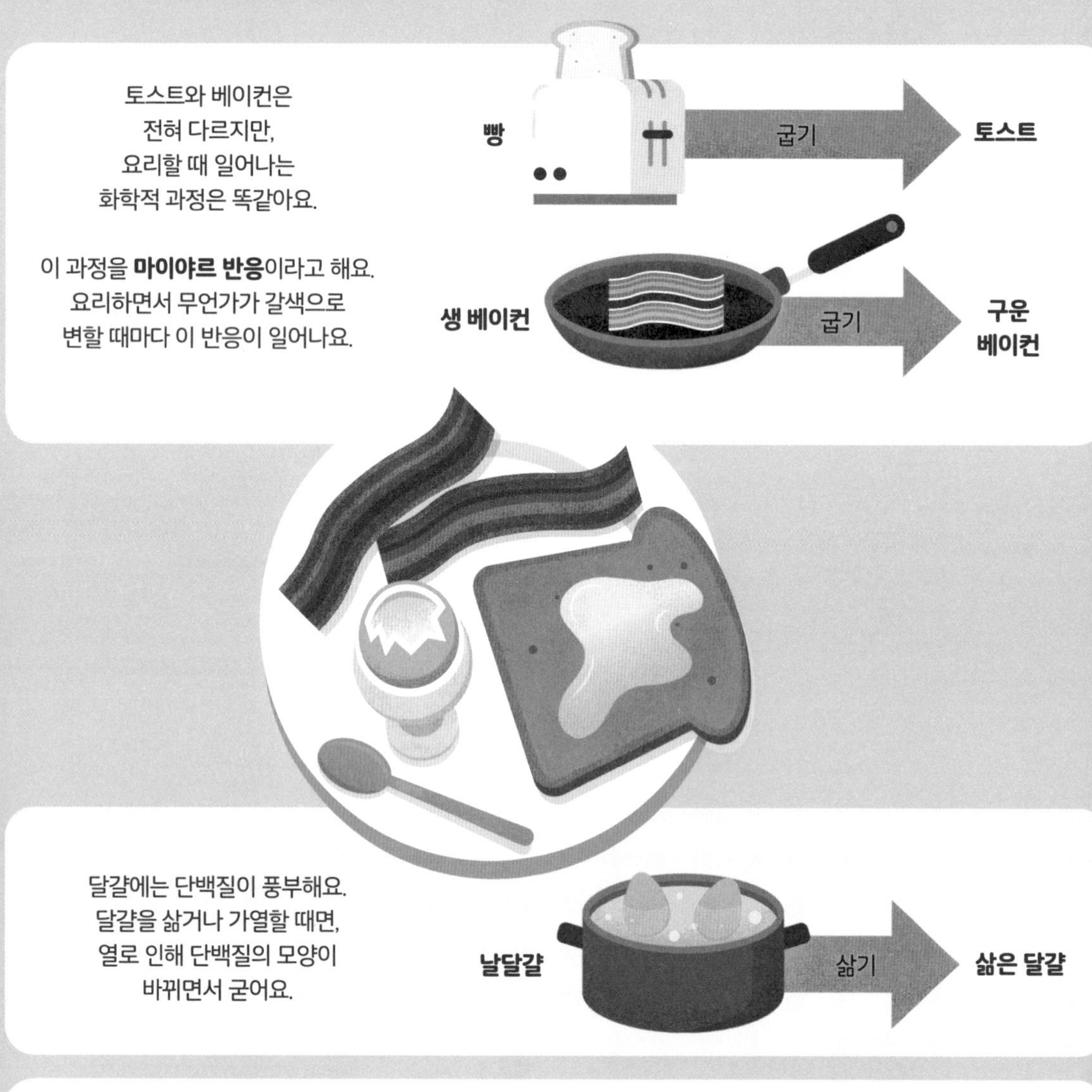

토스트와 베이컨은
전혀 다르지만,
요리할 때 일어나는
화학적 과정은 똑같아요.

이 과정을 **마이야르 반응**이라고 해요.
요리하면서 무언가가 갈색으로
변할 때마다 이 반응이 일어나요.

달걀에는 단백질이 풍부해요.
달걀을 삶거나 가열할 때면,
열로 인해 단백질의 모양이
바뀌면서 굳어요.

토스트 위에 놓은 버터도
가열될 때 녹지만,
이 변화는 되돌릴 수 있어요.

토스트 위에 녹은 버터를
긁어내서 식히면, 다시 굳을 거예요.
버터의 화학 구조가
변하지 않았기 때문이에요.

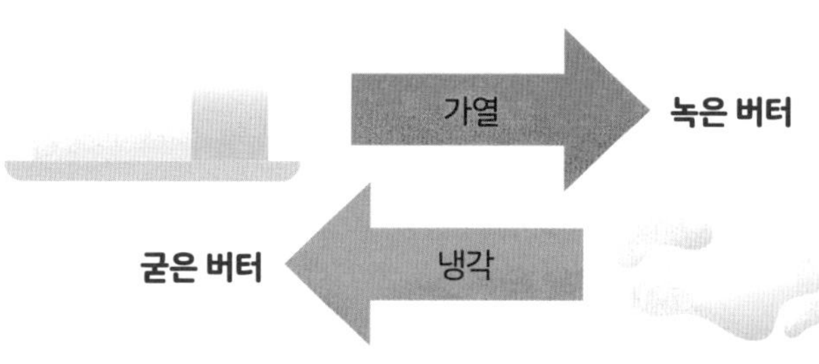

31 콩은 정말로…

방귀를 뀌게 해요.

콩을 먹으면 방귀가 나올 수 있어요. 콩에는 소화가 잘 안 되는 탄수화물이 들어 있거든요.
이 탄수화물은 큰창자에 사는 세균들이 분해를 하는데, 이때 기체가 생겨나요.
그리고 이 기체가 방귀로 나오는 거예요.

콩에는 **올리고당**이라는 복합 탄수화물 분자들이 있어요. 당 분자 여러 개가 끈처럼 연결되어 이루어진 형태예요.

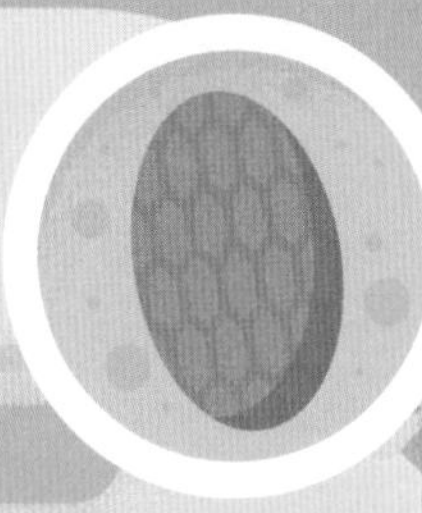

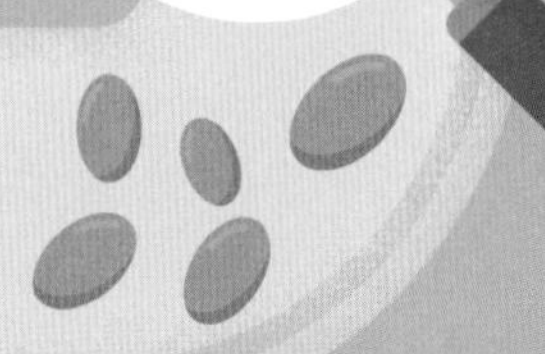

위장의 소화액에는 올리고당을 분해하는 효소가 없어요. 그래서 올리고당은 소화되지 않은 채 창자로 들어가지요.

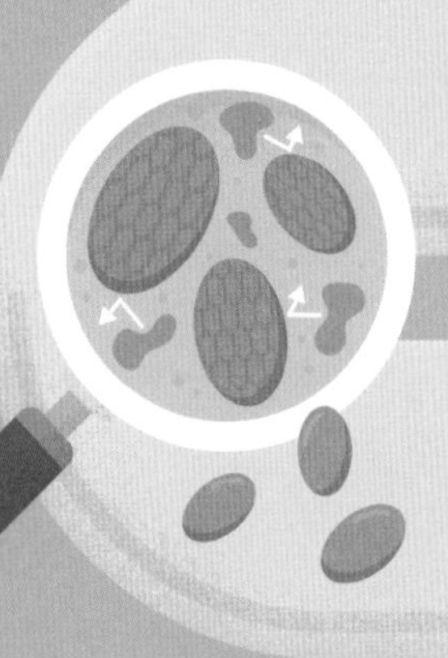

큰창자에 사는 유익한 세균들이 올리고당을 단당류로 분해해요. 단당류는 몸으로 흡수돼요. 올리고당이 분해될 때 기체가 부산물로 나와요.

이 기체에 황화수소가 섞여 있을 때도 있어요. 황화수소 때문에 방귀는 구린 냄새를 풍기지요.

방귀를 뀌는 것은 정상이에요. 사람은 하루에 평균 15번 방귀를 뀌지요.

32 파스타는 종류가 많아요…

손수건과 방열기도 파스타의 이름이에요.

파스타는 모두 듀럼밀을 물과 섞어 반죽해서 만들어요. 듀럼밀은 보통 밀의 친척인데 더 끈적거려요. 이 반죽을 수백 가지 모양으로 빚어내지요. 모양마다 섞는 소스가 달라요. 이름도 붙어 있지요. 대개 모양에 따라 이름을 붙여요.

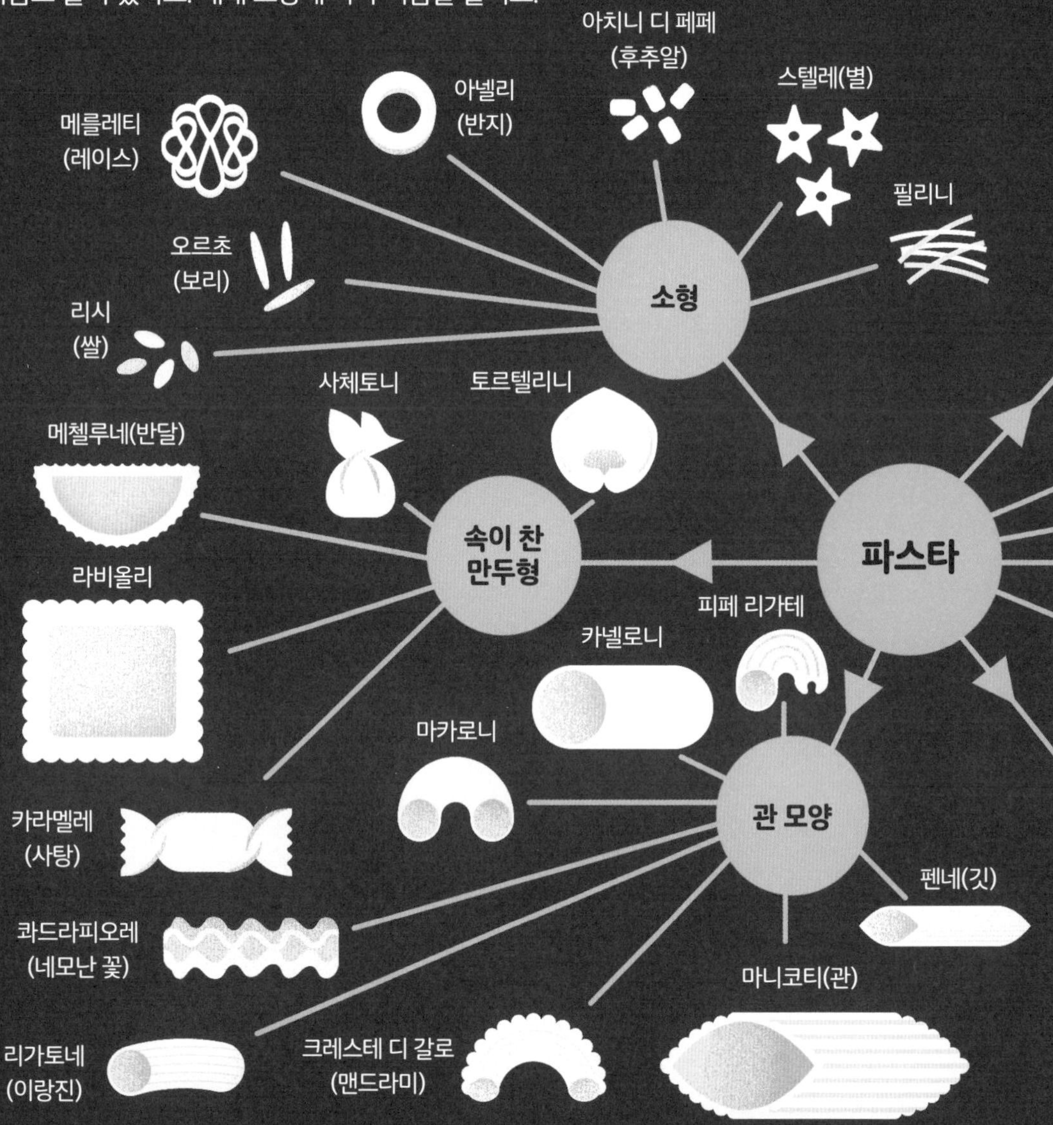

파스타는 모양마다 가장 잘 어울리는 소스가 있어요.

이랑진 모양: 진한 토마토소스, 이랑에 소스가 달라붙어요.
나선 모양: 페스토 소스, 비틀린 홈을 채워요.
조개껍데기 모양: 크림소스
관 모양: 진한 고기즙 소스, 부서지지 않는 튼튼한 모양의 파스타에 어울려요.
긴 가닥: 오일 소스, 가닥들을 감싸서 서로 달라붙지 않게 해요.
소형: 수프나 샐러드에 넣어요.

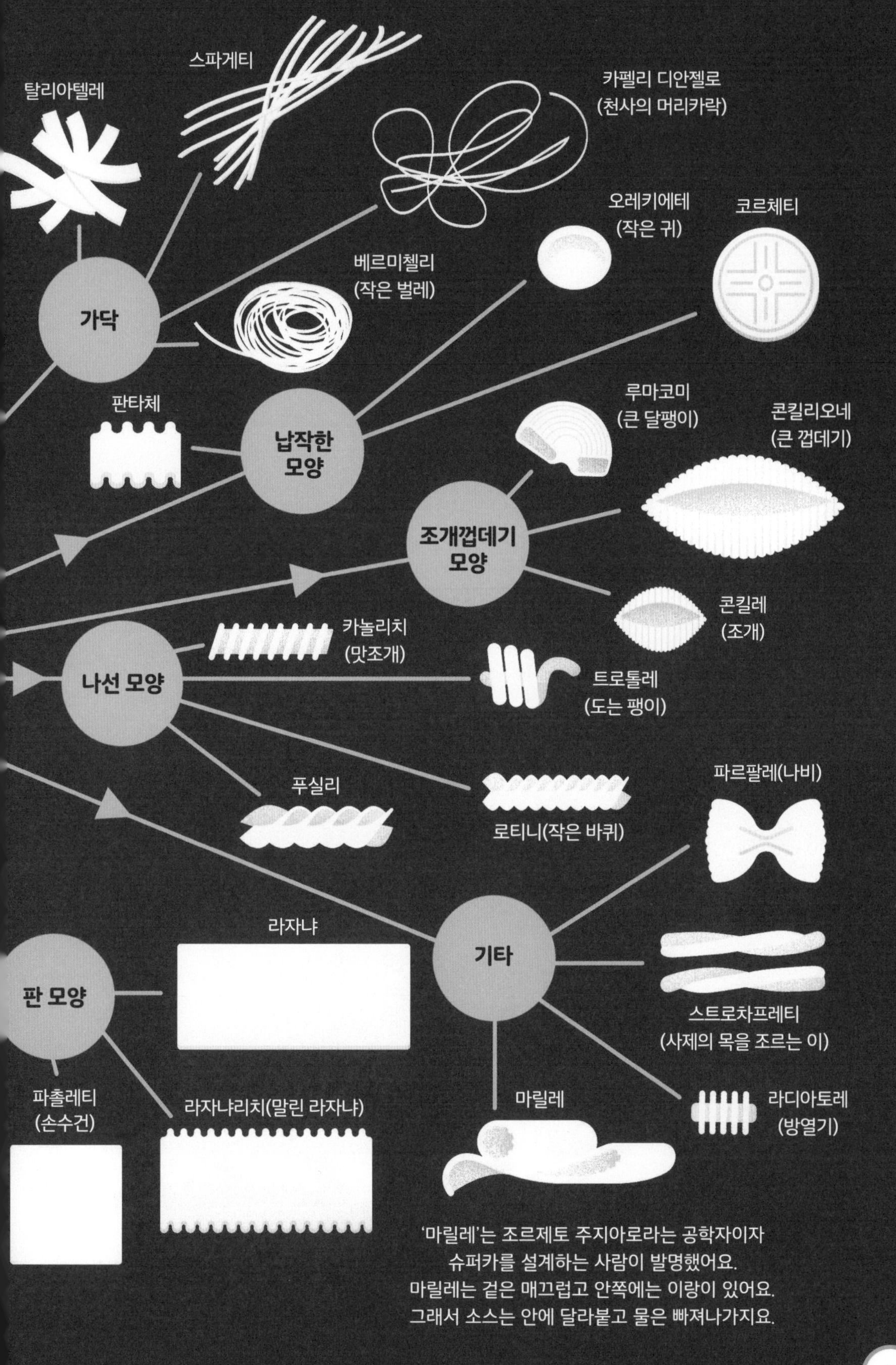

'마릴레'는 조르제토 주지아로라는 공학자이자
슈퍼카를 설계하는 사람이 발명했어요.
마릴레는 겉은 매끄럽고 안쪽에는 이랑이 있어요.
그래서 소스는 안에 달라붙고 물은 빠져나가지요.

33 완벽한 사과는…

접붙인 나무에서 열려요.

사과 농부는 사과나무를 가장 좋은 사과를 맺는 기계처럼 만들어요.
이때 **접목**이라는 과정을 거치는데, 서로 다른 나무의 가장 좋은 부위들끼리 붙여서
새로운 더 좋은 나무를 만드는 방법이에요.

이 나무는 맛있는 사과가 열리지만,
뿌리가 약하고 병에 잘 걸려요.

이 나무는 뿌리가 튼튼하고
병에 잘 안 걸리지만,
사과가 맛이 없어요.

농부는 한 나무의
가지를 잘라서…

다른 나무의 그루터기에 끼워요.
그런 다음 테이프나 풀로 고정시켜요.

나뭇가지는
그루터기와
영구히 결합해서
새로운 나무로 자라요.

모든 사과 품종은
'*말루스 푸밀라*'라는
한 사과나무 종에서 나왔어요.

농부들은 접목을 통해서 7,000가지가
넘는 새로운 품종을 만들어 냈어요.

34 완벽한 멜론 두 개는…

값이 무려 1,500만 원이 넘어요.

일본에서는 좋은 과일을 아주 귀한 선물로 여겨요. 그래서 농부들은 완벽한 과일을 기르기 위해 시간과 노력을 아낌없이 투자해요. 완벽한 과일은 값이 비싸요. 가격이 마구 치솟기도 하지요.

경매장에서는 가장 높은 값을 부른 사람이 과일을 사 갈 수 있어요. 그 계절에 처음 나온 과일을 사면 운이 좋다고 해요.

모양이 좋도록 줄기를 T자 모양으로 잘라요.

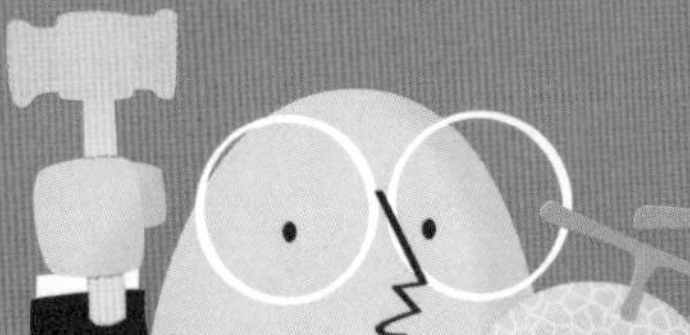

덴스케 수박

- 짙은 색의 희귀한 수박이에요.
- 2008년에는 1개에 약 650만 원에 팔렸어요.

유바리 멜론

- 유바리에 있는 특수 설계된 온실에서 재배해요.
- 최고 등급의 멜론은 매끄럽고 완벽하게 둥글어요.
- 2016년 한 쌍이 약 3,200만 원에 팔렸어요.

루비 로망 포도

- 한 알이 탁구공만 한 포도예요.
- 2015년 한 송이가 약 1,000만 원에 팔렸어요.

35 네모난 수박은…

냉장고에 넣기 좋게 고안한 거예요.

네모난 수박은 둥근 수박을 유리 상자 안에서 키워서 만들었어요. 수박은 상자의 모양에 맞게 자라서 정육면체가 되어요.

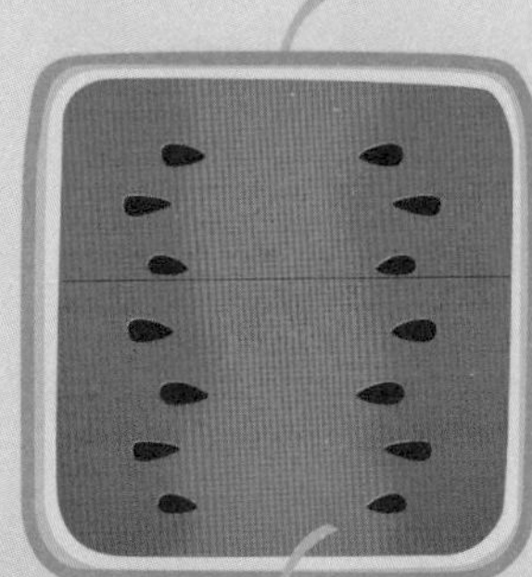

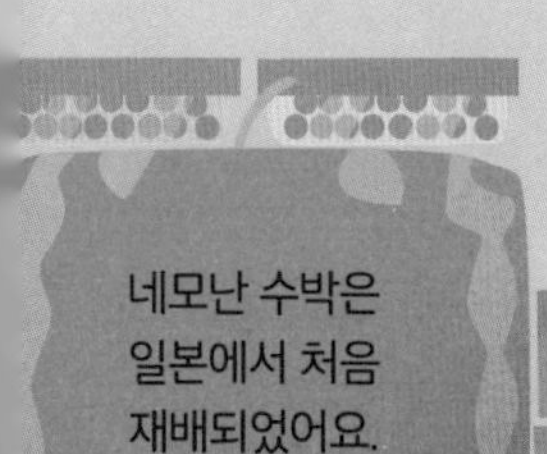

네모난 수박은 일본에서 처음 재배되었어요. 좁은 집에 보관하기 좋게 하려고요.

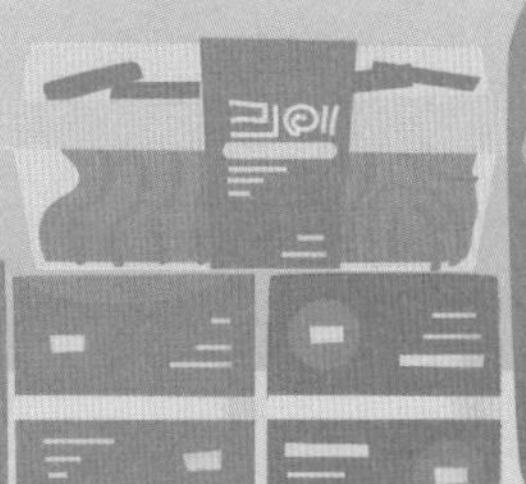

36 빨간색을 보면 배가 고파져요…

그래서 식품 회사는 빨간 식품을 좋아해요.

많은 식당과 식품 회사는 빨간 상표와 포장으로 소비자를 끌어들여요. 빨간색이 배고프다는 느낌을 들게 한다고 여겨지거든요. 하지만 왜 그런지는 심리학자들 사이에 의견이 갈려요. 이유를 설명하는 세 가지 이야기를 들어 볼까요?

빨간색은 위험을 뜻하곤 해요. 그래서 신체 반응을 일으킬 수 있어요. 에너지를 소비하는 속도 등 몸에서 일어나는 반응의 속도를 높일 수 있어서 배가 고파져요.

빨간색은 과일이 익었다고 알려 줘요. 익은 과일에는 에너지원인 당분이 풍부해요. 그래서 빨간색에 끌리는 거예요.

이유는 과학적인 것이 아니라 문화적인 거예요. 빨간색 상표가 너무 많아서 빨간색을 보면 배고프다고 떠올리는 거예요.

여기 그려진 빨간 식품들을 보세요. 배가 고파지나요? 달콤해 보이나요? 과연 어느 이론이 맞을까요?

37 초록색 유리컵은…

물이 더 시원하다는 느낌을 줘요.

심리학자들은 온갖 것들이 음식의 맛에 영향을 준다는 사실을 알아차렸어요.
접시의 색깔, 식기의 종류에 따라서도 맛이 달라져요.

파란색 유리컵과 초록색 유리컵은 빨간색 유리컵보다
음료를 더 시원해 보이게 하고 목마름을 달래 주는 듯해요.

치즈는 이쑤시개로 찍어 먹을 때보다
칼로 찍어 먹을 때 더 짜게 느껴져요.

입에 음식을 넣기 전에 이미
뇌는 과거 경험을 토대로
어떤 맛이 날지 판단을 내려요.
이 판단이 실제 느끼는 맛에 영향을 주지요.

요구르트는
금속 숟가락보다
플라스틱 숟가락으로
떠먹을 때 더
부드럽고 더 풍부한
맛이 나요.

딸기로 만든 후식은 검은 접시보다
흰 접시에 담겨 있을 때 더 달콤하게 느껴져요.

이게 정말인지 친구들에게 실험해 봐요.
요구르트를 먼저 금속 숟가락으로 주고,
이어서 플라스틱 숟가락으로 떠먹게 해요.
그런 다음 어느 쪽이 맛있는지 물어봐요.
(단, 똑같은 요구르트라고 미리 말하지 않고요.)

38 치아는 오래전에 사람이…

무엇을 먹었는지 말해 줘요.

고고학자는 치아에 남은 흔적을 살펴보고서 옛 인류가 무엇을 먹었고 식습관이 어떠했는지 여러 가지를 알아낼 수 있어요. 치아에는 무엇을 어떻게 먹었는지를 알려 주는 특징과 흔적이 남아요.

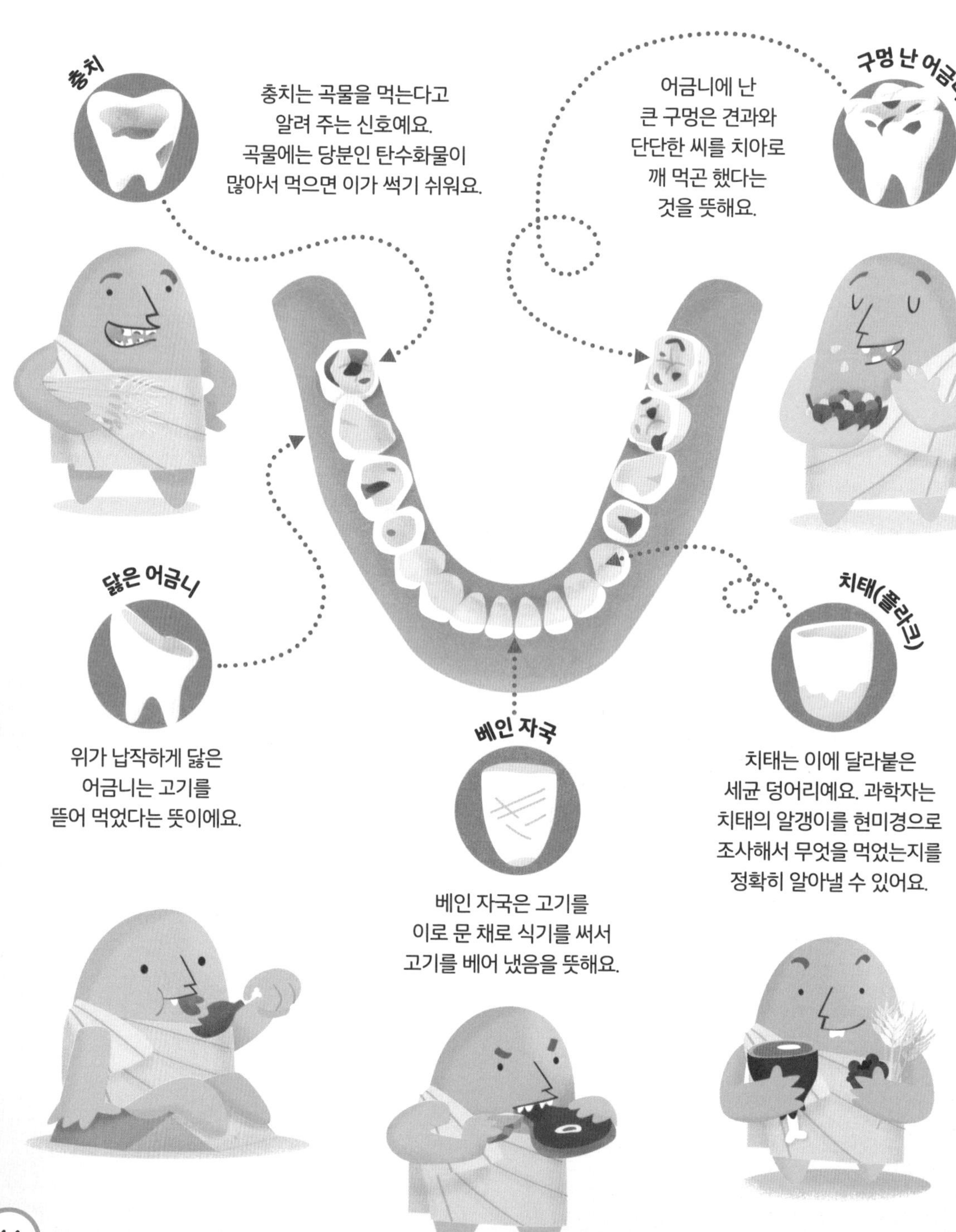

39 1576년에 최고의 주방용품은…

개였어요.

영국 엘리자베스 여왕 시대의 요리사들은 고기를 불에 직접 구웠어요.
만찬 메뉴인 고기를 완벽하게 굽기 위해 요리사들은 특수한 주방용품을 썼어요.
다리가 짧고 몸이 길며 강인한 개를 데려와 고기 굽는 쳇바퀴를 돌리게 했지요.

개가 쳇바퀴를 돌리면
쇠꼬챙이가 돌면서 꽂아 놓은 고기가
골고루 익어요. 개 두 마리가
번갈아 가며 쳇바퀴를 돌렸어요.

이 '쇠꼬챙이 돌리는 개'는
셰익스피어 작품에도
나와요. 또 1576년에 나온
개에 관한 최초의 책에도
실려 있어요.

수백 년 동안 영국의 부엌에는 쇠꼬챙이 돌리는 개가
있었어요. 그 뒤에 쇠꼬챙이 돌리는 기계가 발명되자,
쇠꼬챙이 돌리는 개 품종은 사라졌어요.

쇠꼬챙이 돌리는 개는 장시간 일해야 했지만,
일주일에 하루는 쉬었어요.
사람들은 일요일에 이 개를 데리고 교회에 갔어요.
개가 발을 따뜻하게 해 주었거든요.

40 케첩은 고체이면서…

액체예요.

유리병에 담긴 케첩을 부으려고 해 본 사람은 케첩이 예상 밖의 움직임을 보여 줄 수 있다는 것을 알아요. 케첩은 고체처럼 꼼짝하지 않다가 눈 깜박할 사이에 액체처럼 와락 튀어나오지요.

케첩은 물, 식초, 설탕, 토마토, 안정제, 조미료의 혼합물이에요. 평범한 재료로 만들어진 케첩은 **비뉴턴 유체**라는 수수께끼 같은 물질에 속해요.

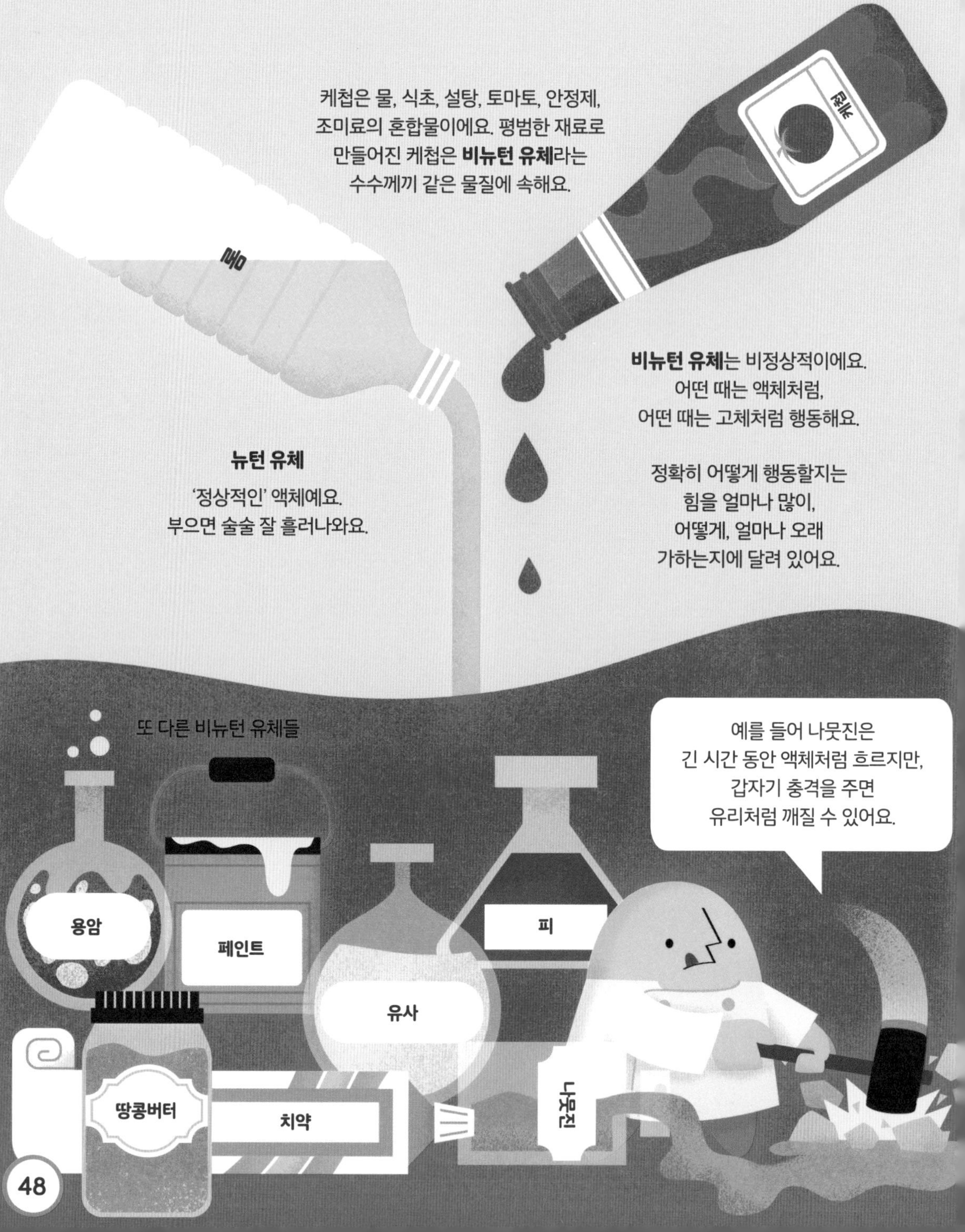

비뉴턴 유체는 비정상적이에요. 어떤 때는 액체처럼, 어떤 때는 고체처럼 행동해요.

정확히 어떻게 행동할지는 힘을 얼마나 많이, 어떻게, 얼마나 오래 가하는지에 달려 있어요.

뉴턴 유체

'정상적인' 액체예요. 부으면 술술 잘 흘러나와요.

또 다른 비뉴턴 유체들

예를 들어 나뭇진은 긴 시간 동안 액체처럼 흐르지만, 갑자기 충격을 주면 유리처럼 깨질 수 있어요.

케첩은 **전단 박화**라고 부르는 성질이 있어요. 흔들거나 해서 힘을 가하면 더 묽어진다는 뜻이에요.

대개 적당한 힘으로 흔들 때에는 케첩이 병에서 나오지 않을 거예요. 케첩을 고체에서 액체로 바꾸는 믿을 만한 방법은 두 가지쯤 있어요. (오른쪽을 보세요)

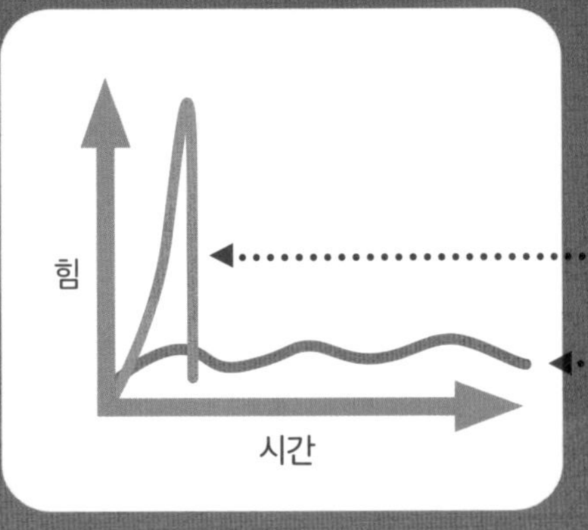

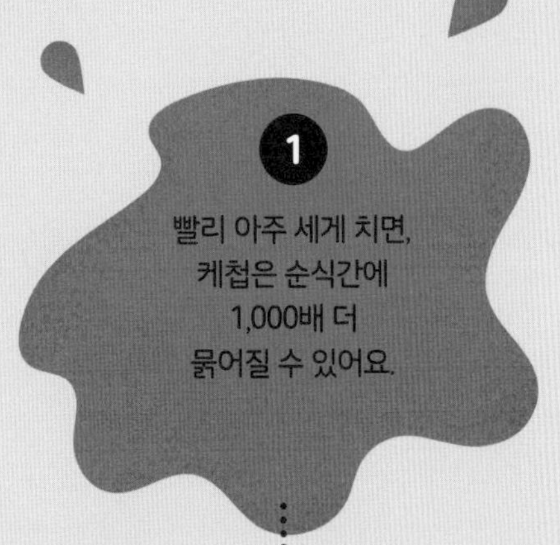

2

천천히 부드럽게 오래 흔들면, 케첩은 서서히 묽어져서 흘러나와요.

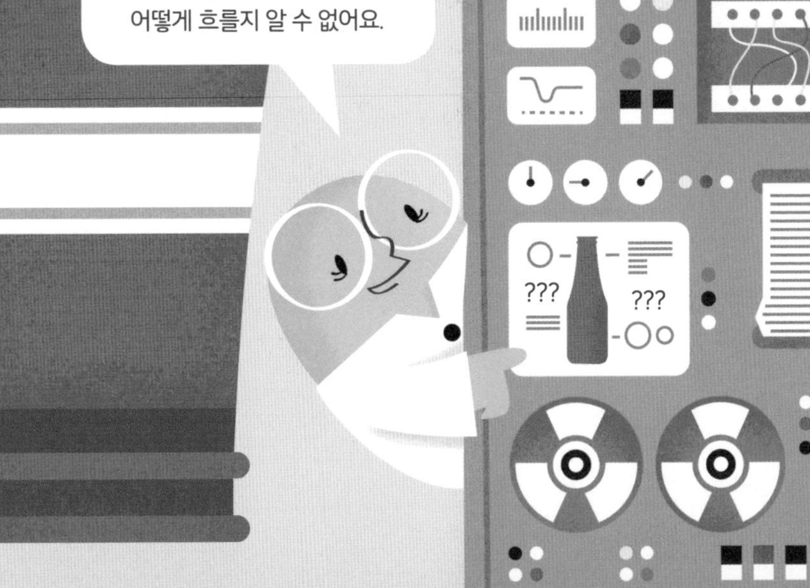

41 벌레 먹은 비스킷은…

예전에 뱃사람이 매일 먹는 음식이었어요.

거의 수백 년 동안 선원들은 장거리 항해를 할 때 돌처럼 딱딱하고 벌레가 득실거리는 비스킷을 먹으면서 버텼어요. 이런 비스킷에도 좋은 점이 한 가지 있었어요. 5년 넘게 보관해도 상하지 않을 만큼 오래간다는 점이지요.

선원들은 비스킷을 커피에 적셔 먹곤 했어요. 먹을 수 있을 만큼 부드럽게 만들려고요.

또 벌레가 커피 표면에 둥둥 뜨니까, 건져 내고 먹을 수 있었거든요.

42 두리안 열매는 냄새가 너무 나서…

버스나 열차에 갖고 타지 못하게 막기도 해요.

두리안은 가시로 뒤덮인 커다란 나무 열매로 말레이시아와 싱가포르에서 자라요. 크기는 멜론과 비슷하고 지독한 냄새가 나요. 냄새가 너무 지독해서 어떤 나라에서는 두리안을 버스나 열차에 갖고 타거나 차 안에서 먹는 것을 금지하고 있어요. 냄새가 고약하지만 별미로 두리안 맛을 즐기는 사람도 많아요.

두리안은 냄새가 지독해서 동물들이 우림에서 800미터 떨어진 곳에서도 두리안 냄새를 맡을 수 있을 정도예요.

사람들은 두리안 냄새를 무엇과 비교할까요?

하수

오래 묵은 치즈

더러운 양말

양파

썩은 고기

바나나의 냄새는 아세트산 이소아밀이라는 단 **1**가지 화학 물질에서 나와요.

두리안의 냄새는 거의 **50**가지에 이르는 화학 물질에서 나와요. 그중 4가지는 오로지 두리안에만 있는 거예요.

43 잘 갖추어진 부엌은…

구급상자 역할도 할 수 있어요.

우리가 먹는 식품 중에 어떤 것들은 약효가 있다고 과학적으로 밝혀졌어요.
(그래도 이런 치료법을 실제로 쓰려면 의사와 상담을 꼭 해야 해요.)

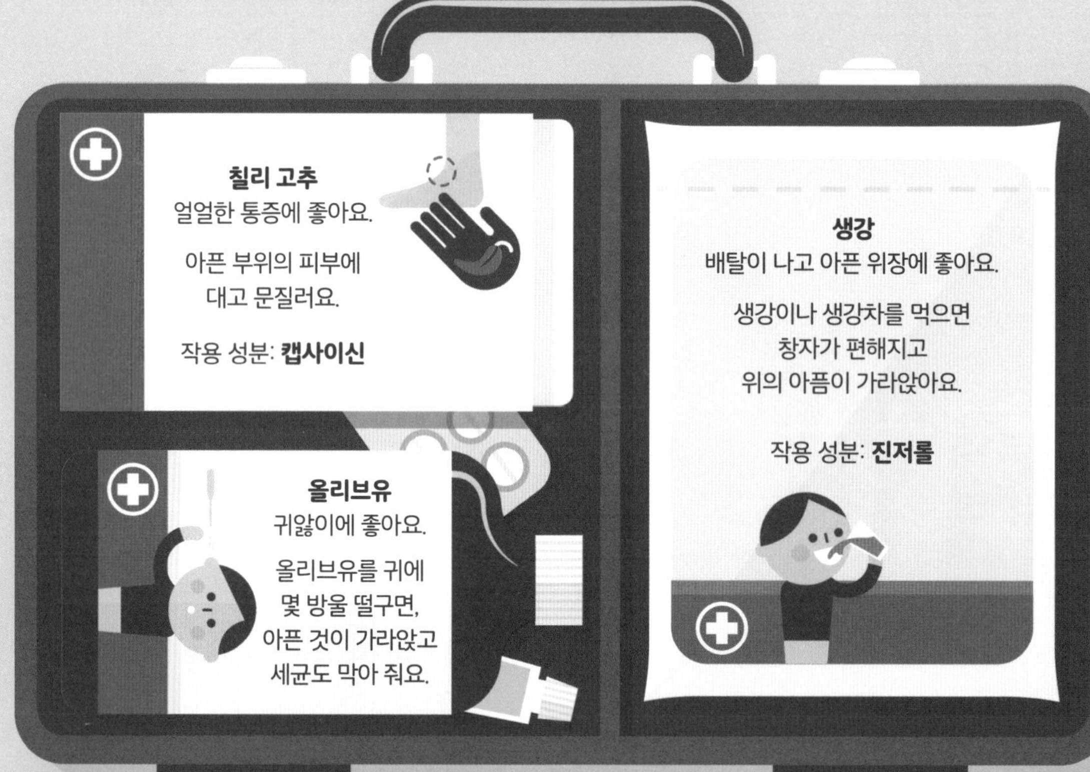

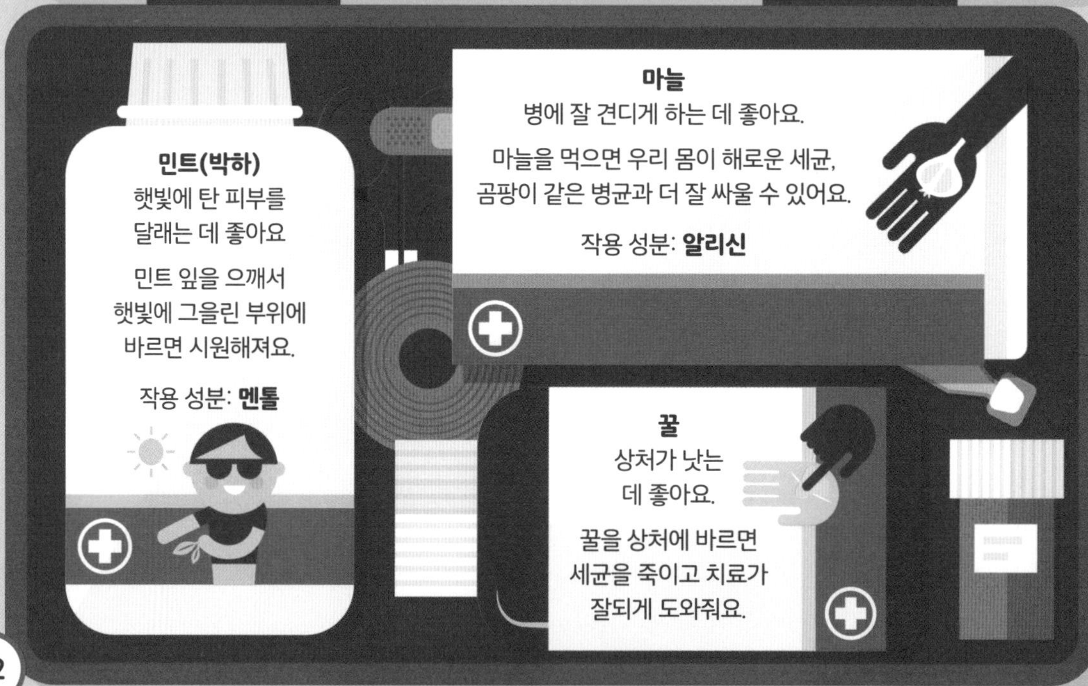

44 살균제 성분이 든 치즈가…

농부의 상처를 소독해 줬어요.

특정한 곰팡이가 섞인 블루치즈는 아주 강한 독특한 맛이 나요. **페니실륨**이라는 곰팡이 때문이지요. 이 곰팡이에서 뽑은 **페니실린**은 세균 감염을 치료할 때 약으로 써요.

1,000여 년 전

블루치즈가 만들어졌어요. 아마 동굴이나 지하 저장고에서 치즈를 숙성시킬 때 천정 같은 곳에 붙어 있던 페니실륨이 치즈에 달라붙으면서 우연히 생겼을 거예요.

프랑스 양치기들은 베이거나 긁힌 상처에 블루치즈를 문지르면 더 빨리 낫는 것을 알아차렸어요.

블루치즈에 상처가 세균에 감염되지 않게 막아 주는 살균 성분이 있다는 사실은 몰랐지만요.

100여 년 전

알렉산더 플레밍이라는 스코틀랜드 생물학자가 페니실륨에 세균을 죽이는 물질이 들어 있는 것을 발견했어요. 플레밍은 그 물질을 가리켜 페니실린이라고 했어요. 페니실린은 1940년대부터 약으로 널리 쓰이기 시작했지요.

현재

블루치즈에는 지금도 페니실륨이 들어 있어요. 하지만 이제 블루치즈 자체를 약으로 쓰지는 않아요.

45 요리가 담긴 접시가 상에 오르기까지…

많은 사람들이 함께한 운반대를 거쳐야 해요.

서양식 식당은 전통적으로 **브리게이드 시스템**에 따라 운영해요.
19세기에 프랑스 주방장인 조르주-오귀스트 에스코피에가 군대 조직을 본떠 창안한 방식이지요.
주방 업무를 잘게 나누어 조별로 분담시키고, 엄격한 명령 체계로 지휘하는 거예요.

주방 조직은 대형 식당에서 요리 과정이 매끄럽게 진행되도록 고안됐어요. 지금도 고급 식당의 주방은 대개 요리사마다 다른 일을 맡아 하나의 조를 이루는 방식으로 돌아가고 있어요.

주방장
주방을 관리하고, 새 요리를 선보이고, 재료를 구입하고, 새 요리사를 교육해요.

부주방장
주방 운영을 도와요.

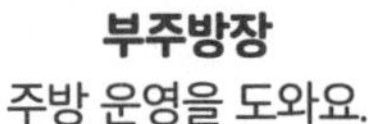

구이 담당 요리사
굽고, 부치고, 튀기는 일을 총괄해요.

그릴 담당 요리사
고기를 석쇠에 구워요.

튀김 담당 요리사
튀기는 음식을 만들어요.

주방 계급
(머리띠 색깔로 표시했어요)

주방 계급
주방장
부주방장
조리장
요리사
보조 요리사
수습생

소스 담당 요리사
소스와 버터에 튀기는 요리를 총괄해요.

생선 담당 요리사
생선으로 만드는 요리를 총괄해요.

전채 요리 담당 요리사
수프, 달걀, 채소 요리를
총괄해요.

수프 담당 요리사
수프를 만들어요.

채소 담당 요리사
채소 요리를 맡아요.

제과 담당 요리사
과자와 후식을
총괄해요.

차가운 요리 담당 요리사
식료품 저장실을 관리하고 샐러드,
햄 같은 차가운 요리를 만들어요.

아브와이외르
주문을 크게 외쳐 주방에 알려 주고,
요리가 맞게 나왔는지 확인해서 운반대에 올려요.

설거지 담당
설거지를 해요.

운반대

손님에게 내갈 요리 접시들을
올려놓고 마지막으로 점검하는
테이블이나 조리대예요.

웨이터

손님

46 스콘을 먹을 때는…

잼보다 크림을 먼저 바르는 것이 맞아요.

스콘을 먹는 것은 영국 전통이에요. 하지만 스콘을 어떻게 먹어야 하는지를 놓고 열띤 논쟁이 벌어지기도 해요. 올바른 방법은 스콘에 클로티드 크림(응고 크림)을 바르고, 그 위에 숟가락으로 잼을 얹는 거예요.

스콘 - 부서지기 쉬운 작고 둥근 케이크예요.

클로티드 크림 - 아주 진하고 빽빽하고 끈적거리는 크림이에요.

잼 - 보통 딸기잼을 먹지만, 어떤 잼이든 상관없어요.

위에서 본 스콘

전통적으로 영국인은 **오후에 차를 마시는 시간**에 크림과 잼을 얹은 스콘도 먹었어요. 차에 곁들여 먹는 음식으로 앙증맞은 핑거 샌드위치, 케이크, 과자도 있지요.

스콘은 논쟁을 일으키기도 해요. 영국인들은 '크림 먼저'라는 쪽과 '잼 먼저'라는 쪽으로 나뉘어 있어요.

사실 영국인들은 스콘의 발음을 놓고서도 의견이 갈려요. '스코운'과 '스콘' 중에 어느 쪽이 맞을까요?

46 스콘을 만들 때는…

크림보다 잼을 먼저 얹는 것이 맞아요.

스콘을 먹는 것은 영국 전통이에요. 하지만 스콘을 어떻게 먹어야 하는지를 놓고 열띤 논쟁이 벌어지기도 해요. 올바른 방법은 스콘에 잼을 바르고, 그 위에 클로티드 크림(응고 크림)을 얹는 거예요.

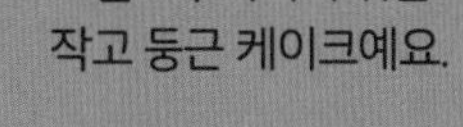

스콘 - 부서지기 쉬운 작고 둥근 케이크예요.

잼 - 보통 딸기잼을 바르지만, 어떤 잼이든 상관없어요.

클로티드 크림 - 아주 진하고 빽빽하고 끈적거리는 크림이에요.

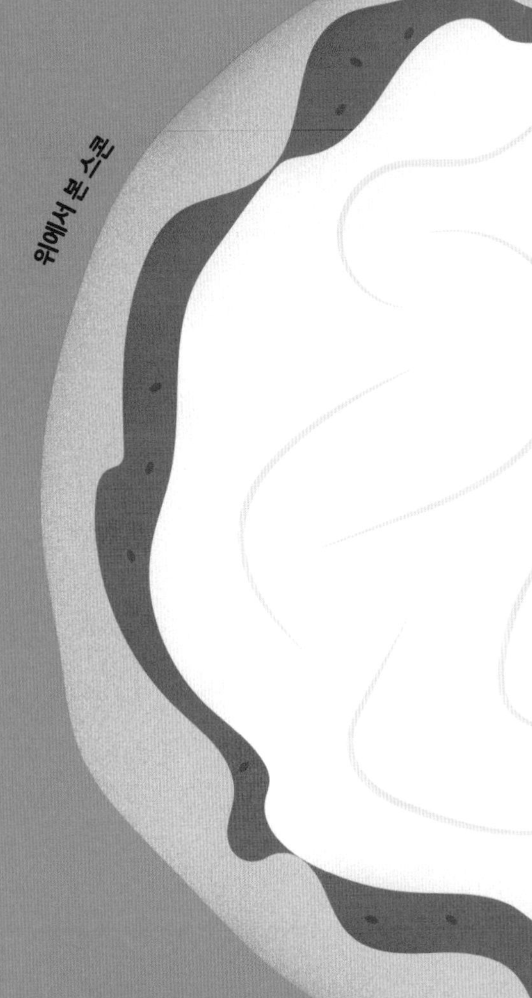

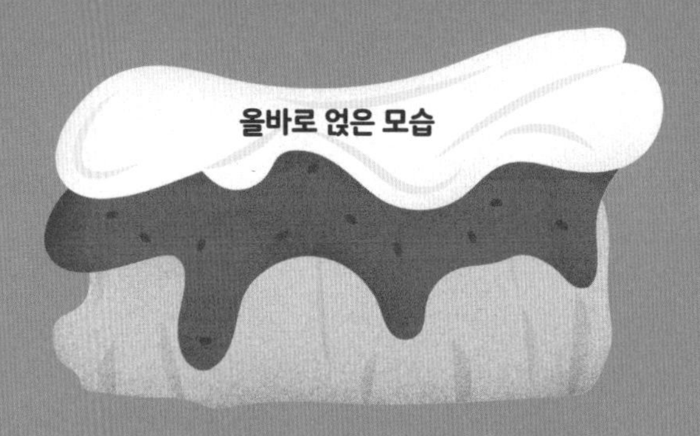

'잼 먼저 쪽'과 '크림 먼저 쪽' 사이의 논쟁은 지역 경쟁심을 부추기기도 해요.

영국 **데번** 지역 사람들은 크림을 잼보다 먼저 발라요. 반면에 이웃인 **콘월** 지역 사람들은 잼을 크림보다 먼저 발라요.

요리를 둘러싼 논쟁은 더 많이 있답니다.

달걀을 보관하는 방법은?

'뾰족한 쪽을 아래로' 대 '둥근 쪽을 아래로'

우유와 홍차를 섞는 방법은?

'차 먼저' 대 '우유 먼저'

47 오렌지는 오렌지색이 아니에요…

아주 더운 곳에서 자랄 때에는요.

오렌지 껍질은 더운 날씨가 이어지다가 차가워질 때 오렌지색으로 변해요. 그래서 열대 기후가 계속되는 나라에서는 오렌지가 계속 녹색을 띠어요.

모든 오렌지는 속이 오렌지색이에요 하지만 겉은 처음에 녹색을 띠어요. 오렌지 껍질에 **엽록소**라고 하는 녹색 색소가 있거든요.

날이 차가워지면, 오렌지 껍질에 있던 엽록소가 파괴돼요. 녹색인 엽록소가 없어지면 껍질은 오렌지색으로 변해요.

날이 계속 더우면, 오렌지가 아무리 익어도 껍질은 오렌지색으로 변하지 않아요.

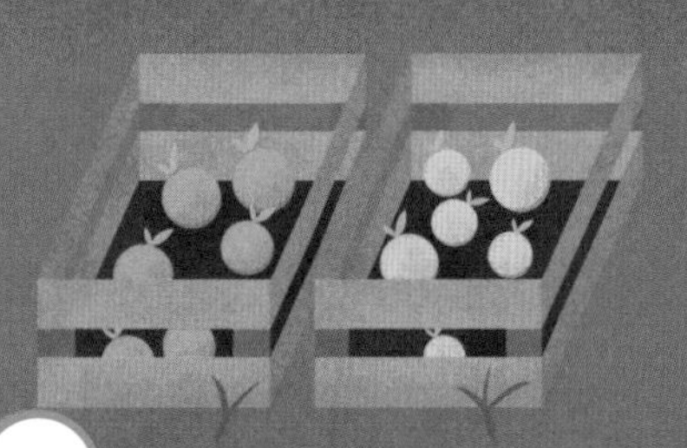

미국의 더운 지방에서 자라는 오렌지는 녹색을 띠어요. 그래서 농부들은 **에틸렌**이란 기체를 뿜어서 오렌지색으로 바꿔 줘요. 에틸렌이 엽록소를 분해하거든요.

오렌지는 오렌지색을 띠어야 더 잘 팔리기 때문에 그렇게 하지요.

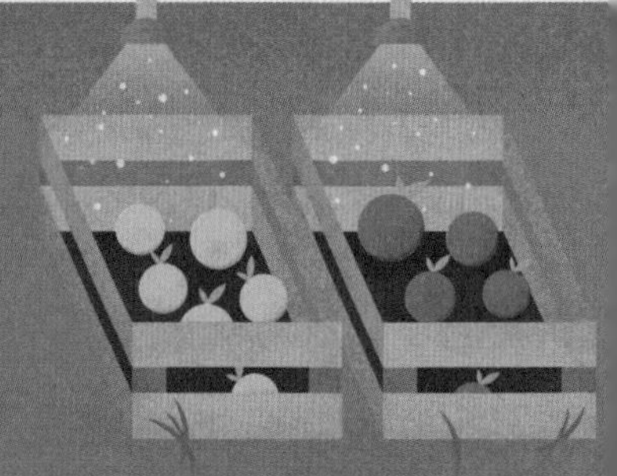

48 키위는 사과나 토마토와 함께 두면…

더 빨리 익어요.

사과, 토마토, 바나나는 모두 **에틸렌**을 내뿜어요. 어떤 과일이나 채소는 에틸렌을 흡수하면 더 빨리 익어요. 빨리 익으면 좋을 때도 있어요. 하지만 너무 빨리 익으면 채 먹기 전에 상할 수도 있지요.

49 향미료 중에는…

금이나 은보다 더 비싼 것도 있어요.

사프란 꽃의 암술머리에서 얻는 노란 양념인 사프란은 세계에서 가장 비싼 음식이에요. 무게로 따지면, 금보다 더 비쌀 때도 있어요. 손으로 직접 따야 하기 때문에 비싸지요.

50 음식에 딸기 맛을 내는 방법은…

수천 가지나 될 만큼 많아요.

식품 조향사라는 화학자는 온갖 것으로부터 얻은 화학 물질을 써서
수천 가지의 새로운 식품 향을 만드는 일을 해요.

식품 조향사는 세계를 누비면서…

동물과 식물에서
화학 물질을 추출하고…

어느 향료들이 가장 잘 어울리는지
고급 요리를 맛보고…

오지를 탐험하면서
새로운 향료를 구해 와요.

연구실로 돌아와서는 화학 물질들을 조합해 넣으면서 식품의 맛을 봐요. 어느 조합이 더 나은지 알아내지요.

조향사들은 수천 가지 방법으로 음식 향을 만들어 낼 수 있어요.
어떤 식품 회사는 딸기 향을 내는 방법을 **2,000가지** 넘게 찾아냈어요.

51 소금, 열, 얼음은 수백 년 동안…

식품이 상하는 것을 막는 데 쓰였어요.

식품은 **세균** 때문에 상하곤 해요. 세균이 식품에 침입해서 먹어치우거든요. 세균이 문제라는 사실을 알아차린 지는 200년도 채 안 돼요. 하지만 사람들은 이미 수천 년 전부터 다양한 방법을 써서 식품을 보존해 왔어요.

식품 보존의 역사

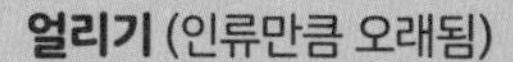

얼리기 (인류만큼 오래됨)

방법: 여름과 겨울이 있는 지역에 사는 사람들은 겨울에 얼음 속에 고기와 생선을 보관하면 더 오래간다는 것을 알았어요.

원리: 낮은 온도에서는 세균이 증식할 수 없기 때문이에요.

절이기 (인도에서 처음 기록됨)

방법: 오이 같은 식품을 소금물에 담가 절이는 법을 알아냈어요.

이유: 오이와 소금물이 만나면 산성 용액이 생겨요. 이 용액이 세균을 죽여서 오이가 상하지 않아요.

말리기 (고대 그리스에서 처음 기록됨)

방법: 고기에 소금을 문질러 발라서 상하는 것을 막았어요.

원리: 세균은 수분이 있어야 살 수 있어요. 소금은 수분을 흡수하기 때문에 고기에 세균이 살 수 없게 돼요.

저온 살균하기 (1850년대 프랑스)

프랑스 화학자 루이 파스퇴르는 식품이 세균 때문에 상한다는 것을 알아냈어요. 또 새로운 식품 보존법도 발명했어요. 그게 바로 저온 살균법이에요.

방법: 우유나 포도주를 60~70도로 가열한 다음 식혀요.

원리: 이 온도는 세균을 죽이기에 충분해요. 이보다 더 높은 온도로 가열하면 음식의 맛이 나빠져요.

진공 포장하기 (1960년대)

방법: 음식을 비닐로 감싸고 공기를 다 빨아낸 뒤, 밀봉해요.
원리: 공기가 없으면, 세균도 살 수 없거든요.

오늘날 슈퍼마켓을 비롯한 식품점에서는 이 모든 기술로
보존 처리된 온갖 식품들이 판매되는 걸 볼 수 있지요.

52 깡통 따개가 발명된 것은…

깡통이 발명된 지 48년 뒤의 일이었어요.

처음으로 식품을 깡통에 담아 보존한 때는
1810년이었어요. 그런데 깡통 따개는 1858년에야
발명되었어요. 깡통 따개가 나오기 전까지는
망치와 끌을 써서 뚜껑을 부수는 것이
깡통을 여는 가장 쉬운 방법이었답니다.

53 청파리 바비큐는…

생쥐 토스트보다 더 맛이 지독해요.

19세기 영국에서 윌리엄 버클랜드라는 괴짜 지질학자이자 고생물학자가 **동물계**에 속한 모든 동물을 맛보겠다고 마음먹었어요.

54 흰개미 버거는…

쇠고기 버거보다 단백질이 더 많이 들어 있어요.

곤충은 미래에 식량으로 널리 길러질지도 몰라요. 곤충은 단백질, 지방, 광물질이 많이 들어 있고, 다른 동물들보다 기를 때 환경에 해를 덜 끼치니까요.

종류별로 버거 100그램에 들어 있는 단백질 함량

귀뚜라미	쇠고기	애벌레	흰개미
13그램	28그램	32그램	35그램

곤충은 잘게 갈아서 버거를 만들 수 있어요. 하지만 모험심이 강한 사람이라면 다음과 같은 요리법에도 도전해 볼 수 있을 거예요.

귀뚜라미
불에 구운 뒤에 마늘과 라임 즙, 소금으로 양념해서 먹어요.

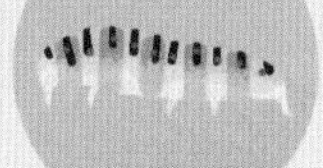

각종 애벌레
소금물에 넣고 끓인 뒤 햇빛에 말려 먹어요.

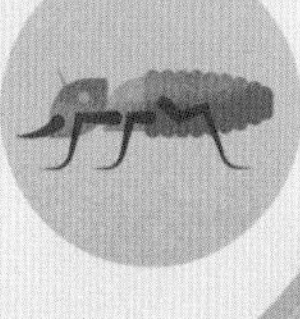

흰개미
햇빛에 말린 뒤, 바나나 잎으로 싸서 찌거나 연기에 익혀 먹어요.

55 전 세계 사람들은 하루에 차를…

30억 잔이나 마셔요.

전 세계 사람들은 매일 30억 잔의 차를 마셔요. 커피보다 3배나 많아요.
차는 모두 한 식물의 잎에서 나오지만, 종류가 수백 가지를 넘고 마시는 방법도 다양해요.

잎

차나무의 잎

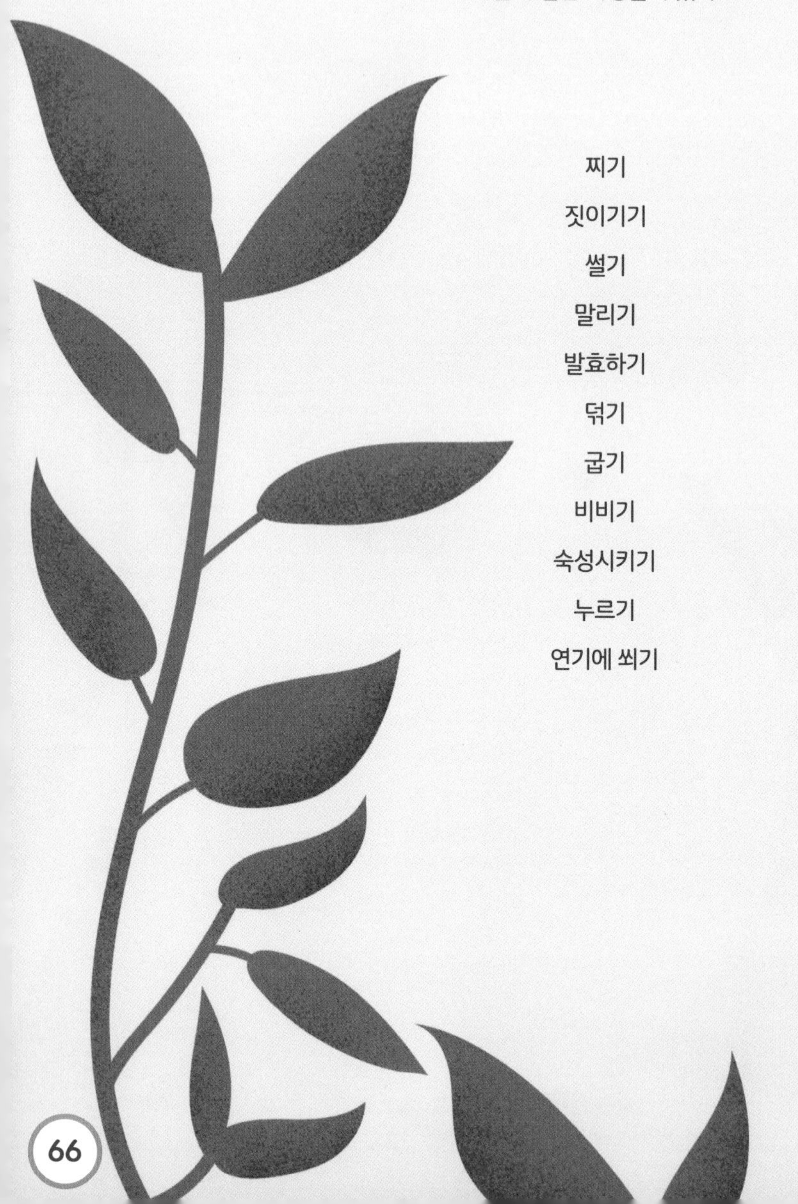

가공 과정

잎이 여러 단계의 처리 과정을 거치면 특정한 종류의 차가 돼요. 다음과 같은 과정들이 있어요.

찌기
짓이기기
썰기
말리기
발효하기
덖기
굽기
비비기
숙성시키기
누르기
연기에 쐬기

차의 종류

녹차

우롱차

홍차

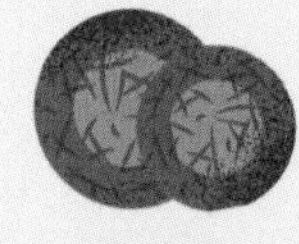

보이차

차는 크게 네 종류로 나뉘어요. 찻잎이 어떤 가공 과정을 거쳤는가에 따라서 차의 종류가 달라져요.

말린 찻잎은 대개 뜨거운 물에 우려내는데,
차에 다른 것을 더 넣을 수도 있어요.
전 세계에서 차를 마시는 방법 중 몇 가지를 소개할게요.

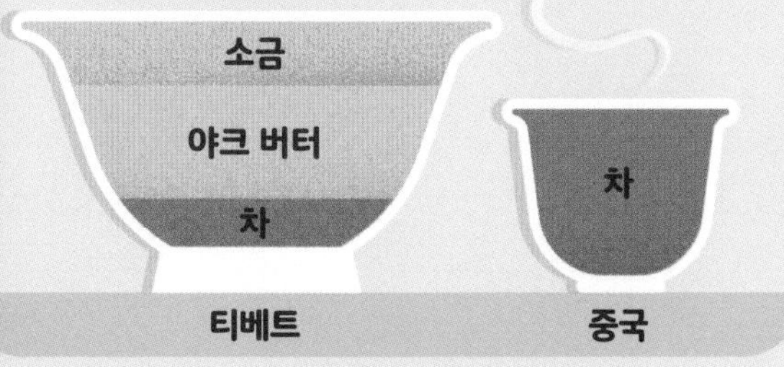

한 사람당 가장 많은 차를
마시는 나라는 터키이고,
그 뒤를 잇는 나라는
아일랜드와 영국이에요.

56 물은 마시기도 하고…

먹기도 해요.

우리는 매일 물을 섭취해야 해요. 물이 있어야 계속 피가 온몸을 돌고, 음식이 소화계를 따라 흘러가고, 관절이 잘 움직일 수 있어요. 하지만 물은 마시는 양보다 음식을 통해 얻는 양이 더 많아요.

흔히 먹는 음식에 물이 얼마나 들어 있는지 함량을 비율로 알아봐요.

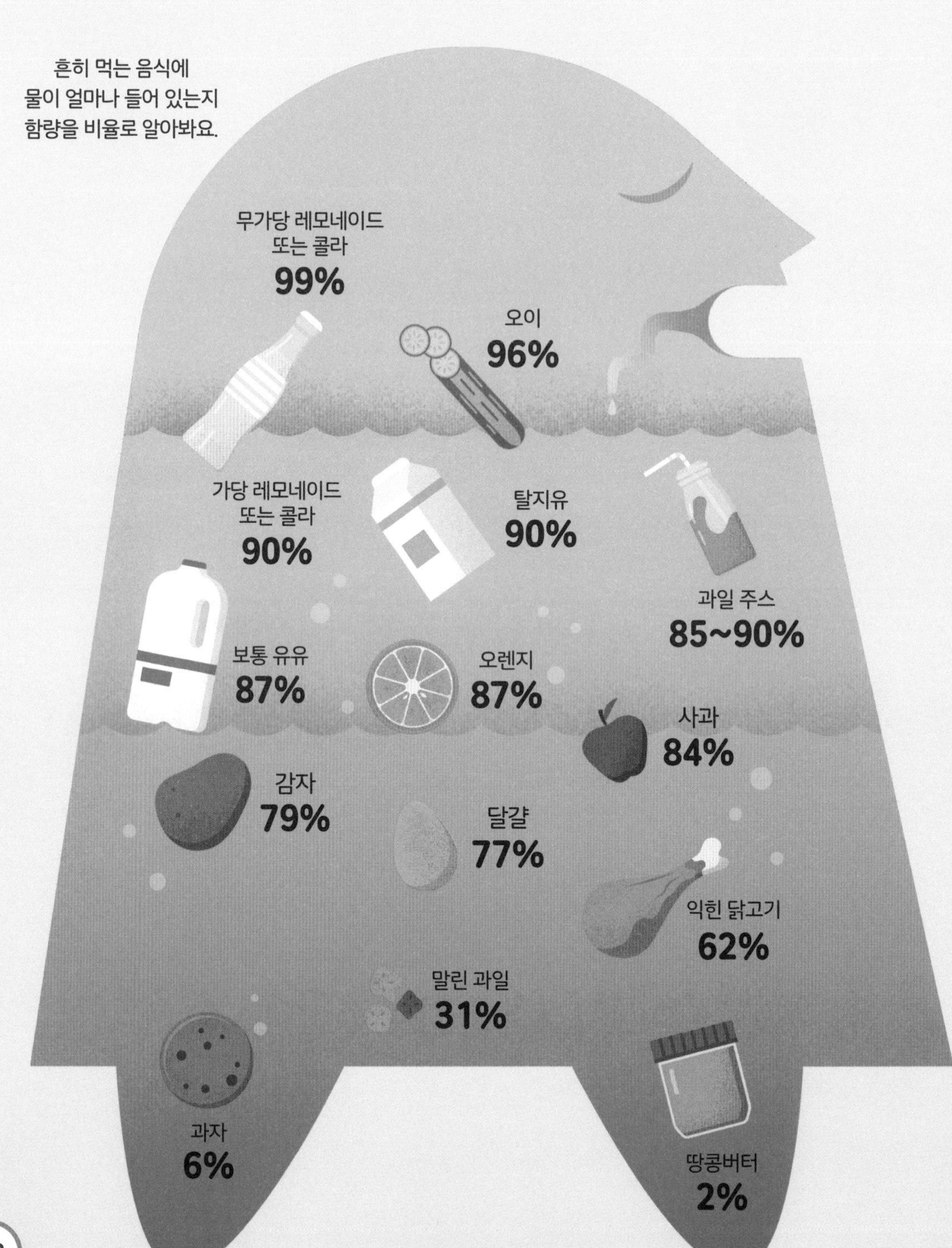

57 꿀은 오래가요…

천연 살균제가 들어 있거든요.

고대 이집트 무덤에서는 꿀단지가 발굴되곤 해요. 그 꿀은 수천 년 동안 묻혀 있었는데도 여전히 먹을 수 있어요. 꿀이 그렇게 오래 보존될 수 있는 이유는 식품을 상하게 하는 세균이 꿀에서는 살 수 없기 때문이지요.

꿀은 세균을 막는 **세 가지 특성**을 지니고 있어요.

꿀은 **흡습성**이에요. 습기를 잘 빨아들여요. 즉 물이 거의 들어 있지 않아요. 세균은 물 없이는 살 수 없으니 꿀에서 살 수 없어요.

꿀은 **산성**이에요. 꿀에는 세균을 죽이는 글루콘산이 들어 있어요.

꿀에는 **과산화수소**가 아주 조금 들어 있어요. 과산화수소는 표백제로 쓰이는 물질인데 세균도 죽이지요.

58 땅콩버터는 입에 넣으면…

더 끈적거려요.

먹을 때 입에서는 **침**이라는 액체가 나와요. 침은 99퍼센트가 물이지만, 음식물의 소화를 돕는 효소도 들어 있어요.

땅콩버터는 침에 섞인 물을 빨아들여서 더 굳고 끈적거려져요.

침샘 (침이 만들어지는 곳)

땅콩버터공포증
땅콩버터가 입천장에 달라붙는 것을 두려워하는 증상을 말해요.

59 케이크를 구울 때 달걀이 없으면…

바나나로 대신할 수 있어요.

케이크는 보통 밀가루, 설탕, 달걀, 지방(기름이나 버터)로 만들지만, 이 재료가 반드시 다 들어가야 하는 것은 아니에요. 한두 가지는 성질이 비슷한 재료로 원래 필요한 재료를 대신할 수도 있어요. 물론 케이크 맛이 좀 달라지겠지만요.

60 자동차를 요리 기구로 쓸 수 있어요…

엔진이 작동하고 있을 때라면요.

식품을 가열해서 요리를 해야 할 때, 꼭 오븐이나 가스레인지나 그릴이 있어야 하는 것은 아니에요. 충분히 오랫동안 가열할 수 있기만 하면, 무엇을 쓰든 상관없어요.

모험을 즐기는 이들은 생선이나 고기를 은박지로 싸서 자동차 엔진에 올려놓고서 차를 몰곤 했대요.

엔진은 돌아가면서 점점 뜨거워져요. 한 시간쯤 차를 몰면, 생선이나 고기가 먹을 수 있을 만큼 잘 구워지지요.

증기 기관차에서 불을 때던 화부들은 삽을 불 위에 놓아 달걀이나 베이컨을 익혀 먹었어요. 삽을 프라이팬으로 쓴 거죠.

원자력 잠수함의 엔진은 아주 뜨거워요. 그래서 선원들이 감자를 구워 먹었대요.

61 카카오 콩으로 초콜릿을 만들려면…

많은 까다로운 과정을 거쳐야 해요.

카카오나무에서 시작해 판 초콜릿이 만들어지기까지 까다로운 여러 단계들을 거쳐요.
순서도를 따라 초콜릿을 만들어 볼까요?

기호

- 시작/ 끝
- 판단
- 행동

여기서 출발!

수확
꼬투리 색은 녹색인가요, 오렌지색인가요?

녹색 꼬투리는 안 익은 거예요. **처음으로 돌아가요!**

오렌지색 꼬투리는 익었어요. 안에 있는 **카카오 콩**을 긁어내요.

발효
콩에 향이 배도록 바나나 잎을 덮고 3~8일 동안 둬요.

콩을 그냥 둘까요, 일정한 시간마다 뒤집을까요?

뒤집지 않으면 발효가 골고루 되지 않아요. **처음으로 돌아가요!**

콩을 몇 번 뒤집어야 발효가 골고루 잘 이루어져요.

건조
신맛과 쓴맛을 줄이기 위해 발효된 콩을 말려요. 건조는 천천히? 꾸준히? 빨리? 어떻게 해야 할까요?

너무 느리게 말리면 곰팡내가 나요. **처음으로 돌아가요!**

꾸준히 말려요.

너무 빨리 말리면 쓴맛과 신맛이 그대로 남아요. **처음으로 돌아가요!**

햇빛에 1주일 동안 건조시켜요.

불에 탄 향을 내려면 장작불 옆에서 건조시켜요.

자루에 담아요.

초콜릿 가공 공장으로
운반해요.

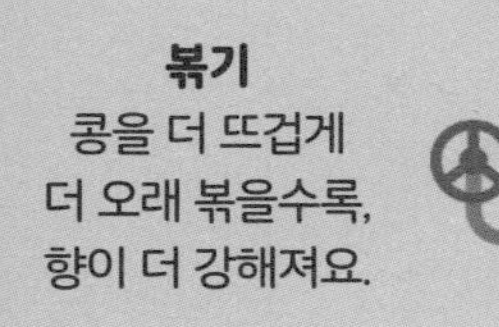

볶기
콩을 더 뜨겁게
더 오래 볶을수록,
향이 더 강해져요.

온도는
몇 도?

100~150도로
볶아요.

150도를 넘으면
콩이 타 버릴 거예요.
처음으로 돌아가요!

거르기
콩을 까불러서
껍질을 걸러 내고
코코아 닙만 모아요.

갈기
코코아 닙을
갈아서
코코아 매스라는
반죽을 만들어요.

혼합하기
설탕과 우유
같은 성분을
넣어 섞어요.

치대기
혼합한 반죽을 금속 구슬로 부드럽게
치대면서 휘저어요. 치대는 시간은
1일 이내로 할까요, 1~3일
계속할까요?

1일 이내로 치대면
반죽에 덩어리가
남아 있을 거예요.
앞 단계로 돌아가요.

1~3일 정도
치대면
아주 매끄러운
혼합물이 돼요.

템퍼
혼합물을 천천히
가열했다가 식혀요.

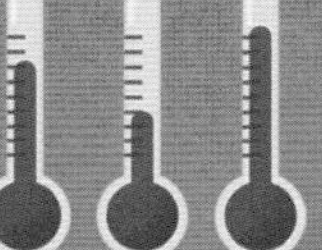

몇 도까지
데우죠?

45도까지 가열하면
매끄럽고 표면에
윤기가 흘러요.

45도를 넘으면,
혼합물이 부스러지고
윤기가 없어요.
처음으로 돌아가요!

혼합물을 틀에 부어
서서히 식혀서 굳혀줘요.

드디어 판 초콜릿이
다 만들어졌어요.
맛있게 드세요!

62 모든 식품은 방사성을 띠어요…

브라질너트는 더욱더 그래요.

모든 식품은 약하게 방사성을 띠어요. 방사선을 뿜는 칼륨과 라듐 같은 방사성 원소가 흙에 본래 들어 있거든요. 그래서 식물은 자라면서 방사성 원소들도 빨아들이게 돼요.

식품의 방사성은 **피코퀴리**라는 단위로 표시해요.
브라질너트 1개는 약 **30피코퀴리**의 방사선을 방출해요.

브라질너트 1개에 해당하는 방사선을 접하려면, 브라질너트 다음으로 강한 방사성을 띠는 다른 식품을 이만큼씩 먹어야 해요.

당근 **250**개 = 30피코퀴리

감자 **110**개 = 30피코퀴리

바나나 **275**개 = 30피코퀴리

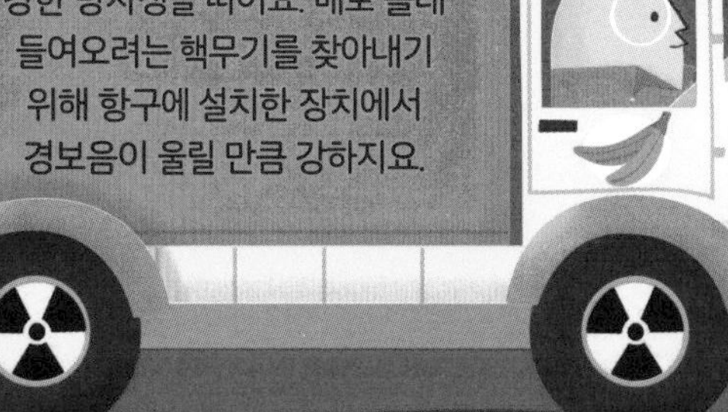

바나나를 가득 실은 트럭은 강한 방사성을 띠어요. 배로 몰래 들여오려는 핵무기를 찾아내기 위해 항구에 설치한 장치에서 경보음이 울릴 만큼 강하지요.

하지만 바나나를 **1,000만**개 넘게 먹어야 방사능에 중독될 거예요.

63 키위로 젤리를…

만들 수는 없어요.

젤리는 젤라틴으로 만들어요. 젤라틴은 단백질 가닥들이 뒤엉켜서 이루어진 물질이에요. 키위, 파인애플, 파파야 같은 신선한 과일에는 단백질을 분해하는 효소가 들어 있어요. 그래서 키위 같은 과일은 아예 젤리로 만들 수가 없어요.

64 당근을 너무 많이 먹으면…

피부가 오렌지색이 될 거예요.

당근의 오렌지색은 **베타카로틴**이라는 화학 물질에서 나와요. 당근을 너무 많이 먹으면, 피 속에 베타카로틴이 많아져서, 일시적으로 피부가 노랗게 될 수 있어요.

65 매운 칠리 고추는 목숨을 앗아 갈 수 있어요…

심장마비와 발작을 일으킬 수 있거든요.

칠리 고추가 매운 이유는 **캡사이신**이라는 화학 물질이 들어 있기 때문이에요.
캡사이신을 아주 많이 먹으면 몸에 쇼크가 올 수 있어요.

칠리 고추를 비롯한 음식의
매운 맛은 **스코빌 척도**에 쓰이는
스코빌 단위로 측정할 수 있어요.

15,000,000~16,000,000
순수한 캡사이신: 색깔도
냄새도 없고, 치명적일 수 있어요.

2,000,000~5,300,000
후추 스프레이: 무기로도
쓸 수 있고, 잠시 눈을
멀게 할 수도 있어요.

855,000~2,199,999
부트 졸로키아
(유령 고추라는 별명이 있어요)

100,000~350,000
아바네로 고추

100,000~200,000
스카치 보닛 고추

스코빌 단위는 말린 고추에서 추출한
캡사이신의 양으로 측정해요.
말린 고추가 싱싱한 고추보다 훨씬 더 맵지요.

아주 매운 고추를 먹었을 때는
물보다 우유를 마시는 편이 나아요.
우유는 입을 얼얼하게 하는 캡사이신을
씻어 낼 수 있지만, 물은 못하거든요.

10,000~23,000
카옌페퍼

2,500~5,000
할라페뇨

0
피망: 전혀 안 매워요.

66 말리고, 삭히고, 발효시킨 생선이…

일본 요리에서 나는 감칠맛의 비결이에요.

수백 년 동안 일본 요리사들은 **가쓰오부시**라는 재료를 써서 진한 감칠맛을 내 왔어요. 가쓰오부시는 다랑어라는 생선으로 만들고, 완성되는 데 1년까지 걸리기도 해요.

1 다랑어의 한 종류인 가다랑어의 살을 큼지막하게 떠내요.

2 물에 넣고 약 2시간 동안 삶아요. 그런 다음 씻고 가시를 싹 발라내요.

3 약 한 달 동안 숯 연기를 쐰 다음 널어서 말리는 과정을 반복해요.

4 겉에 '*아스페르길루스 글라우쿠스*'라는 곰팡이를 바르고 말려요.

5 곰팡이가 자라면서 지방과 수분을 먹어 치워요. 가다랑어 살은 더 바짝 말라요.

6 가다랑어 살이 단단한 목재처럼 바짝 말라 딱딱해질 때까지 곰팡이를 바르고 또 발라요.

7 바짝 마른 가쓰오부시를 대패로 얇게 깎아 내요. 불그스름한 얇은 조각들로 국물이나 양념을 만들어요. 밥이나 국수, 피자에 올리기도 해요.

67 자메이카의 국민 과일에는…

치명적인 독이 있어요.

자메이카의 국민 과일인 아키 열매에는 사람이 먹으면 치명적인 병에 걸릴 수 있는 부위가 있어요. 그런데도 아키는 자메이카 전통 요리에 반드시 들어가는 재료랍니다. 세계에서 가장 치명적인 음식을 몇 가지 살펴볼까요?

아키 열매

독소: 히포글리신
들어 있는 부위: 덜 익은 열매, 씨
유발증상: 자메이카구토병, 혼수상태, 사망

먹는 지역: 자메이카
먹는 방법: 열매가 익으면 저절로 벌어져서 열매살이 드러나요. 독성을 띤 검은 씨를 빼면 먹어도 안전해요.
대표 요리: 아키와 절인 대구 요리

복어

독소: 테트로도톡신
들어 있는 부위: 복어의 간, 눈, 창자를 비롯한 내장들
증상: 얼얼함, 마비, 사망

먹는 지역: 일본
먹는 방법: 전문 교육을 받고 자격증을 딴 요리사가 독이 든 부위들을 다 떼어 내고서 요리해요.
대표 요리: 복어회

복어 한 마리에는 **30명**을 죽일 수 있을 만한 테트로도톡신이 들어 있어요.

복어가 너무 위험하기 때문에 일본에서는 국왕이 복어를 먹는 것을 법으로 금지했어요.

캐슈너트

독소: 아나카르드산
들어 있는 부위: 캐슈 나무의 씨인 캐슈너트를 감싼 껍데기
증상: 심한 가려움과 화상, 사망(삼키거나 증기를 들이마신 경우)

먹는 지역: 전 세계
먹는 방법: 캐슈너트를 볶아서 독소를 파괴해요.
대표 요리: 캐슈너트를 곁들인 치킨

카사바 뿌리

독소: 청산가리
들어 있는 부위: 익히거나 가공하지 않은 날 뿌리
증상: 어지럼증, 구토, 신경 손상, 마비, 사망

먹는 지역: 아프리카, 아시아, 남아메리카, 카리브 해
먹는 방법: 뿌리를 갈아서 가루로 만든 뒤, 물에 담가 가라앉혔다가 말려서 발효시킨 다음 요리해 먹어요.
대표 요리: 타피오카 푸딩

루바브

독소: 옥살산
들어 있는 부위: 잎
증상: 타는 듯한 느낌, 염증, 관절 통증, 콩팥 손상, 사망

먹는 지역: 전 세계
먹는 방법: 잎을 떼어 내고 줄기만 먹어요.
대표 요리: 루바브 크럼블

68 최고의 식당을 선정하는 음식 평론가는…

신분을 감추고 살아요.

외식업계에서 가장 인정받는 상은 **미슐랭 별점**이에요. 어떤 식당이 미슐랭 별점을 받으면 기자들이 우르르 몰려들어서 취재를 하기도 해요. 하지만 어느 식당에 어떤 별점을 줄지를 판단하는 음식 평론가들은 전혀 이름을 알리지 않고 돌아다녀요.

69 미슐랭 별점은…

자동차를 팔기 위해서 만들어진 거예요.

미슐랭 별점은 자동차 타이어 회사를 운영하던 프랑스 인 형제가 매기기 시작했어요.
1900년에 이 형제는 사람들이 차를 타고 돌아다니도록 할 생각으로
프랑스의 도로와 주유소, 식당을 표시한 안내서를 펴냈어요.

안내서에는 다음과 같은 식당을
가 보라고 적혀 있었지요.

별 1개 - '아주 좋은 식당'

별 2개 - '길을 돌아갈 만한
가치가 있는 식당'

별 3개 - '특별히 찾아갈 만한
가치가 있는 식당'

그 뒤 100년이 흐르는 동안,
미슐랭 별점은 전 세계에서 요리사에게
가장 큰 찬사로 받아들여지게 되었어요.

70 바나나는 대부분이 클론이에요…

그리고 한 가지 질병으로 모두 사라질 수 있어요.

바나나 품종은 1,000가지가 넘지만, **캐번디시**라는 단 한 종류만이 전 세계의 상점에서 진열되고 팔려요. 모든 캐번디시 바나나는 클론이에요. 즉 모두 똑같은 유전자를 갖고 있다는 뜻이지요.

클론인 캐번디시 바나나는 **불임성**이에요. 씨를 맺어서 번식을 할 수 없어요. 원래 있던 식물의 뿌리에서 자라난 줄기를 떼어 내서 키워요. 그래서 캐번디시 바나나는 모두 똑같지요.

모든 캐번디시 바나나는 **유전자**가 똑같기 때문에, 한 식물이 병균에 감염되면 모두에게 빠르게 퍼질 수 있어요…

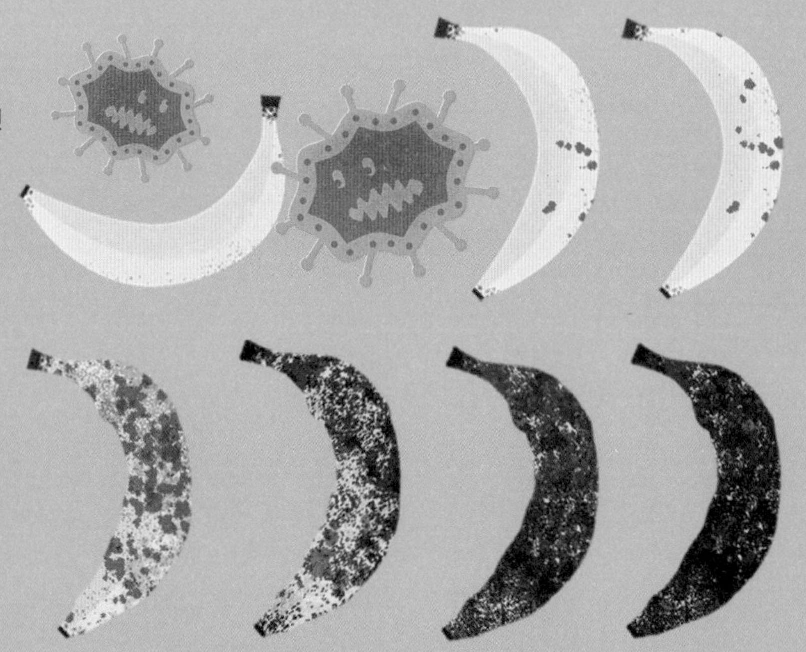

그럼 모든 바나나가 죽을 수 있어요.

바나나가 사라지는 일에 대비하기 위해 과학자들은 맛있고, 운반할 때 잘 상하지 않고, 질병을 잘 견디는 새로운 바나나 품종을 만들기 위해 애쓰고 있어요.

71 밀가루 구름은…

빵 공장을 폭파시킬 수 있어요.

전 세계에서 매일 빵을 만드는 데 쓰이는 재료인 밀가루는 폭발성이 강해요. 밀가루가 구름처럼 공기 중에 떠 있을 때에는 작은 전기 불꽃만 튀어도 건물 전체를 날려 버릴 만큼 강력한 폭발이 일어날 수 있어요. 다음과 같은 과정을 거치게 돼요.

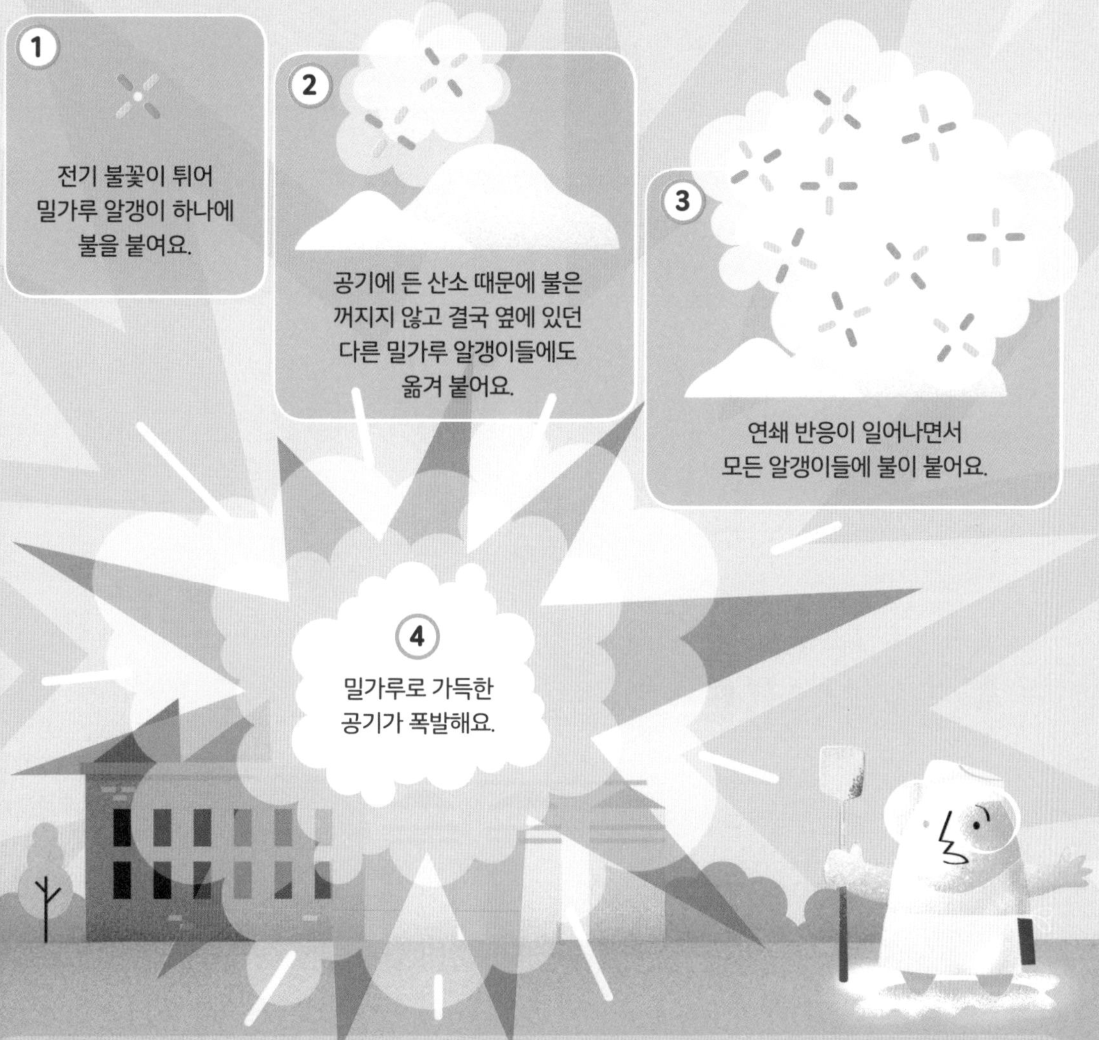

1. 전기 불꽃이 튀어 밀가루 알갱이 하나에 불을 붙여요.

2. 공기에 든 산소 때문에 불은 꺼지지 않고 결국 옆에 있던 다른 밀가루 알갱이들에도 옮겨 붙어요.

3. 연쇄 반응이 일어나면서 모든 알갱이들에 불이 붙어요.

4. 밀가루로 가득한 공기가 폭발해요.

밀가루 구름은 왜 그렇게 폭발성이 강할까요?

밀가루는 사슬처럼 길게 이어진 **당**들로 이루어진 **탄수화물**이에요. 당은 불이 아주 잘 붙어서 금방 타오르는 물질이에요.

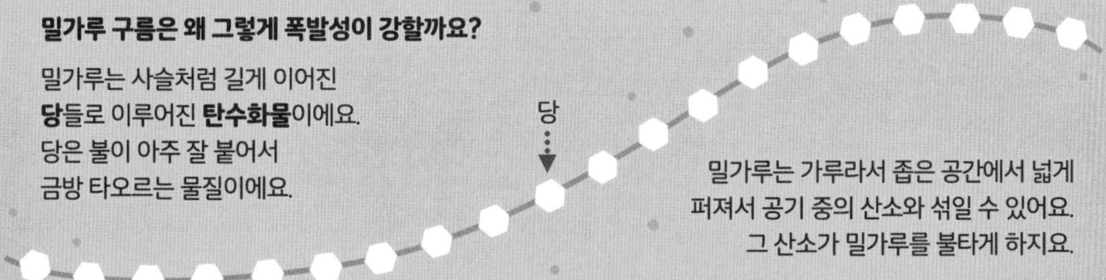

당

밀가루는 가루라서 좁은 공간에서 넓게 퍼져서 공기 중의 산소와 섞일 수 있어요. 그 산소가 밀가루를 불타게 하지요.

72 방울양배추를 싫어하는 것은…

유전자 때문일지도 몰라요.

여러분의 DNA, 즉 여러분을 여러분답게 만드는 유전암호는 혀에 어떤 미각 수용체들이 들어갈지도 정해 놓았어요. 어떤 사람들은 특정한 화학 물질에 아주 민감한 수용체를 타고나요. 그러면 어쩔 수 없이 특정한 음식을 무척 싫어하게 되지요.

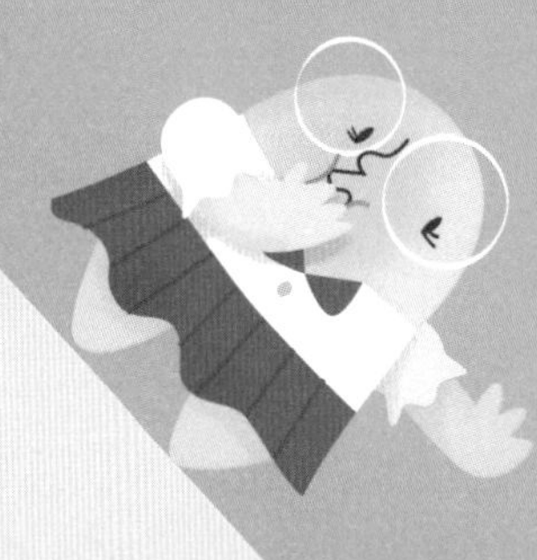

전 세계 사람들의 **40퍼센트**는 송로버섯을 싫어해요.

독특한 맛을 지닌 송로버섯에는 **안드로스테논**이라는 화학 물질이 가득 들어 있어요. 사람들 중 40퍼센트는 안드로스테논에 아주 예민해요. 안드로스테논에 예민하면 송로버섯의 맛과 냄새가 퀴퀴한 땀과 같다고 느껴요.

전 세계 사람들의 **10퍼센트**는 고수를 싫어해요.

10명 중 1명은 알데히드라는 화학 물질에 예민한 형태의 수용체인 **OR6A2**를 지녀요. 이들에게는 고수의 맛이 비누 맛처럼 느껴져요.

전 세계 사람들의 **50퍼센트**는 방울양배추를 싫어해요.

인류의 약 절반은 형태가 똑같은 **TAS2R38**이라는 수용체를 지녀요. 이 수용체가 있으면 방울양배추와 브로콜리에 든 특정한 화학 물질들을 쓰고 역겹게 느끼게 돼요.

여기 실린 비율을 다 더하면 100퍼센트가 되는 것은 우연일 뿐이에요. 여기 있는 식품 중에 좋아하는 것이나 싫어하는 것이 있나요? 셋 다 그렇다고요?

73 값비싼 버섯은…

돼지들이 찾아내요.

송로버섯은 숲의 땅속에서 자라는 식용 버섯이에요. 땅속에서 자라므로 사람이 찾기가 어려워요. 그래서 송로버섯 냄새를 맡을 수 있게 훈련시킨 돼지를 이용해서 찾아내지요.

송로버섯은 너도밤나무, 자작나무, 참나무, 소나무, 전나무 밑에서 가장 많이 발견돼요.

송로버섯은 **안드로스테놀**과 비슷한 냄새를 풍겨요. 안드로스테놀은 수퇘지가 암퇘지를 꾈 때 풍기는 화학 물질이에요.

몇몇 나라에서는 돼지 대신 개를 이용해요. 돼지에게는 너무나 달콤한 냄새가 나서 돼지가 송로버섯을 먹어 치우려 하거든요.

송로버섯

송로버섯은 아주 비싸요. 구하기가 무척 어려우니까요. 2010년에는 럭비공만 한 송로버섯이 무려 3억 원이 넘는 값에 팔렸어요.

74 베이컨 냄새는…

사람들의 목숨을 구해 왔어요.

베이컨은 너무나 맛있는 냄새를 풍겨요. 실제로 경찰 수사관들은
숨어 있는 납치범들을 베이컨 냄새로 꾀어낸 뒤, 사람들을 구출할 수 있었어요.

베이컨은 왜 그렇게 좋은 냄새가 날까요?

화학 물질 중에는 공기를 타고 돌아다니다가 코로 들어오면 우리가 알아차릴 수 있는 것이 있어요. 이런 물질을 가리켜 **방향 화합물**이라고 해요.

1

베이컨에는 당과 단백질이 들어 있어요. 단백질은 아미노산이라고 하는 작은 화합물로 이루어져 있어요. 요리를 하면, 당과 아미노산이 결합하여 독특한 방향 화합물들을 만들어요.

이것을 **마이야르 반응**이라고 해요.

18시간 뒤

지금쯤 범인도 지치고
배가 고프겠지?
잘 구슬려서 나오게
할 때가 되었군.

배가 너무 고파.
도저히 못 참겠어.

알았어, 알았다고요.
나갈게요.

실제로 협상가들은
이 방법을 써 왔어요.

2

베이컨의 지방이 녹아서
베이컨에 보존제로 첨가된
질산염과 반응하여 더욱더
많은 방향 화합물이 생겨나요.

3

방향 화합물의 종류와 수가
워낙 많고, 그것들이 무수히 결합하면서
새로운 화합물을 만들기 때문에,
사람들은 맛있는 냄새가 난다고 느껴요.

75 전해질 음료를 마시면…

운동선수는 더 오래 뛸 수 있어요.

장거리 육상 선수는 달릴 때 에너지를 많이 소비해요. 물과 중요한 광물질이 땀을 통해 빠져나가요. 달리면서 스포츠 음료를 자주 마셔 주면, 결승선까지 달리는 데 도움이 되지요.

장거리 육상 선수는 에너지를 많이 써요. 달리면서 에너지를 보충하지 않으면, 끝까지 달리지 못할 수도 있어요.

몸에서 물을 너무 많이 잃으면 두통, 욕지기, 피로, 쥐 같은 증상이 나타날 수 있어요.

땀은 몸을 식혀 주는 일을 해요. 하지만 **전해질**이라는 광물질과 물도 땀을 통해 빠져나가지요.

76 비행기가 나는 순항 고도에서는…

올리브 한 알도 중요해요.

매일 전 세계에서 거의 1,000만 명에 달하는 사람들이 비행기를 타요. 모든 승객에게 안전하고 효율적으로 식사를 제공하려면 꼼꼼하게 계획을 짜고 열심히 일해야 해요. 항공사의 입장에서는 경제성이 중요해요.

4,500~5,500원

항공사가 생각하는 기내식의 최대 비용이에요. 이 비용을 초과하지 않도록, 항공사는 미리 1년 치 식단을 짜요.

10시간

미리 요리해서 비행기에 실어 둔 음식을 다시 데워서 승객에게 내는 데 걸리는 평균 시간이에요.

약 10,000미터 상공

이 순항 고도에서는 기압이 낮아요. 기내에서 맛이 어떨지 알아보기 위해 압력이 낮은 방에서 요리를 연구해요.

30퍼센트 감소

기압이 떨어지면 단맛과 짠맛을 30퍼센트 덜 느껴요. 그래서 승객의 미각이 줄어도 맛이 좋도록 음식을 만들어요.

연간 약 4,500만 원

1980년대에 미국의 한 항공사가 1등석 승객들의 샐러드에서 **올리브를 1알씩** 빼서 절약한 비용이에요.

77 친절한 채소들은…

서로를 보호하고 도와줘요.

수천 년 전, 아메리카 원주민들은 세 가지 작물을 주로 먹고 살았어요. 호박, 옥수수, 콩이지요. 이 셋은 함께 심어야 가장 잘 자라요. 이런 농사 방법을 **섞어짓기**라고 해요. 지금도 세계 곳곳에서는 소규모로 작물들을 다양하게 섞어서 기르곤 해요.

호박의 잎과 줄기에 난 따가운 가시는 너구리 같은 동물이 작물을 먹지 못하게 막아 줘요.

키가 큰 옥수수는 콩의 버팀대 역할을 해요. 덕분에 콩은 쭉쭉 높이 자라서 더 많은 햇빛을 받을 수 있지요.

콩

옥수수

호박

크고 넓적한 호박잎은 흙을 덮어서 수분이 마르지 않게 해요.

식물의 뿌리들은 수분을 끌어오기 때문에, 서로가 잘 자라도록 돕게 돼요.

콩의 뿌리 속에서 사는 세균은 **질산염**이라는 유용한 물질을 흙으로 내보내요. 질산염은 옥수수와 호박이 자라는 데 필요한 성분이에요.

질산염

78 곰팡이 병은…

옥수수의 영양가를 더 높여 줘요.

위틀라코체, 즉 옥수수 깜부깃병은 옥수수에 회색 곰팡이가 자라는 거예요.
위틀라코체는 자라면서 옥수수의 화학적 조성을 바꾸어요. 성분이 달라지는 거예요.
그래서 이 병에 걸린 옥수수는 감염되지 않은 옥수수보다 영양소가 더 많아져요.

세계 여러 지역에서는 옥수수가 위틀라코체에 감염되면 베어 내요.
하지만 멕시코 같은 몇몇 나라에서는 이 회색 곰팡이에 감염된 옥수수를
맛있다고 느껴요. 그래서 많은 농부들이 옥수수를 일부러 이 병에 감염시키지요.

79 샴페인은 샴페인이 아니에요…

샹파뉴 지방에서 만들지 않았다면요.

옛날부터 사람들은 음식을 ‘어느 지역’에서 만드느냐에 따라 음식의 맛이 크게 달라진다고 보았어요. 프랑스 샹파뉴 지방은 포도주 중에서도 탄산 거품이 일어 톡 쏘는 맛 좋은 스파클링 와인을 만드는 곳으로 유명해요. 그 술이 아주 특별하다고 생각한 프랑스 정부는 그 고장에서 나는 톡 쏘는 술에만 ‘샴페인’이라는 이름을 붙일 수 있게 법으로 정했어요. 샴페인은 샹파뉴의 영어 발음이에요.

사실 스파클링 와인은 어디에서든 제조할 수 있어요.
하지만 샴페인이 특별한 이유는 **테루아** 때문이에요.
테루아는 포도가 어떻게 자라고 포도주가
어떤 맛이 날지를 결정하는 데 중요한 역할을 하는
지역 환경 요소들의 조합을 뜻해요.

지형 조건: 가파른
산지인지 평탄한 곳인지,
그늘진 계곡인지 평원인지,
북향인지 남향인지 등.
흙의 종류: 돌이 많은지,
석회질인지,
알갱이가 고운지,
물이 잘 빠지는지,
습한지 등.
지역의 포도 재배법과
전통적인 포도주 제조법:
농기구, 포도나무 가지를 치고
물을 대고 수확하는 시기와 방식
프랑스는 전통 요리법을 널리 보급하고 전국의 다양한 향토 음식을
보존하기 위해, 지역마다 나름의 독특한 테루아에서 나오는 향토 음식
수백 가지를 법으로 보호하고 있어요. 다음과 같은 음식들이지요.
로크포르쉬르
-술종산 치즈
푸아투샤랑트산
버터
솜 강의
염습지산
양고기
프로방스산
라벤더 오일
르퓌앙벨레이산
렌틸콩
코르시카산
벌꿀

80 곤충이 갉아먹은 찻잎은…

따서 모아야 해요.

'동방미인'은 세계에서 가장 비싼 우롱차 중 하나예요.
감귤향이 나는 달콤한 차인데, 원료가 아주 특이해요.
곤충들이 갉아먹은 자국이 있는 찻잎으로 만들어지거든요.

해마다 여름이면 몇 주 동안,
초록애매미충이라는 곤충이
대만의 차 농장으로 몰려들어요.

차나무
학명은 '*카멜리아 시넨시스*'예요.

초록애매미충
학명은 '*자코비아스카 포르모사나*'예요.

매미충이 갉아먹으면 잎은 **테르펜**이라는 화학 물질을 만들어 내요. 이 물질이 생기면 매미충은 그 잎을 갉아먹으려 하지 않아요. 또 테르펜은 잎의 회복을 도와요.

테르펜은 향긋한 냄새도 풍기고, 잎의 맛을 바꾸어요.

농부들은 벌레 먹은 찻잎만 뜯어내요.
이런 잎으로 만든 차는
진하면서 독특한 향이 나요.

81 훈제 장어와 초콜릿은…

함께 먹으면 맛이 기가 막혀요.

각 음식에는 독특한 맛을 내는 저마다 다른 화학 물질들이 들어 있어요.
몇몇 요리사들은 같은 화합물들을 많이 지닌 식품들끼리 조합하면
새로운 맛있는 요리가 나올 수 있다고 믿어요.

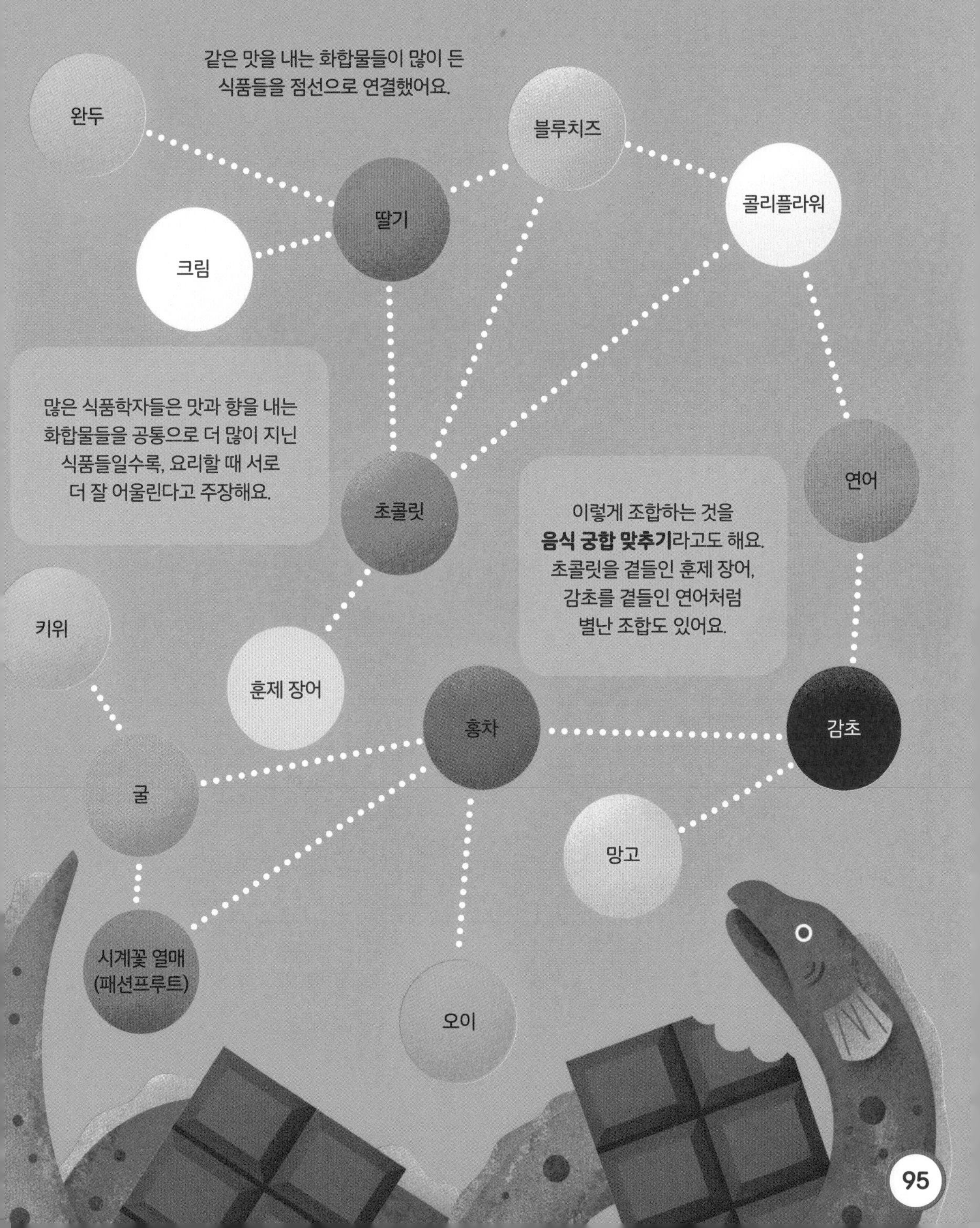

82 부리토는…

1492년 이전에는 만들 수가 없었어요.

오늘날 부엌 찬장에 있는 요리 재료 중에는 저마다 다른 대륙에서 유래한 것들이 많아요. 1492년 탐험가 크리스토퍼 콜럼버스가 유럽에서 중앙아메리카로 향하는 항로를 개척한 뒤 배들이 대서양을 가로질러 다니기 시작했어요. 여러 식품들이 바다를 건너 전해졌지요. 지금 전 세계에서 즐기는 음식 중에는 그 이후에 생겨난 것들이 꽤 많아요.

부리토는 인기 있는 멕시코 요리예요.
다양한 재료를 밀가루로 만든 토르티야에 싸 먹는 음식인데,
그 재료들은 원래 대서양 반대편에서 온 것이에요.

원래 유럽과 아시아에서 온 것

원래 아메리카에서 온 것

콜럼버스와 만난 아메리카 원주민들도
많은 새로운 식품들을 처음으로 접했어요.

콜럼버스의 항해 이래로
수백 년에 걸쳐 수십 종류의 동식물이
양쪽 대륙을 건너갔어요. 이 과정을
콜럼버스 교환이라고 해요.

- 파스타
- 토마토
- 올리브유
- 바질

토마토 스파게티

- 빵
- 쇠고기
- 토마토
- 감자

버거와 감자튀김

- 카카오 콩
- 우유
- 설탕

핫초코

요리사들은 이 재료들을
새로운 방식으로 조합하여,
오늘날 우리가 먹는 많은
요리를 새로 만들었어요.

83 감자와 톱밥은…

제2차 세계 대전 때 영국 사람들의 사기를 북돋아 주었어요.

제2차 세계 대전(1939~1945년) 때 식량을 들여오는 배들의 운항이 막히자, 영국은 식품 부족에 시달렸어요. 적은 식량을 고루 나누어 주기 위해 **배급제**를 실시하게 되었지요. 모든 사람이 정해진 양의 식량만 먹게 된다는 뜻이었지요.

국민의 사기를 북돋아 주기 위해 영국 정부는 창의적인 요리법을 개발하여 다양한 새로운 음식을 내놓았어요. 기발한 재료가 들어간 요리도 있었어요.

당시에는 설탕이 많이 부족했어요. 그래서 아이들에게는 막대 사탕 대신 막대기에 당근을 꽂아 줬어요. 당근과 순무로 만든 '캐럴레이드'라는 음료도 있었어요.

산딸기 씨가 든 것처럼 보이도록 잼에 아주 작은 톱밥을 넣기도 했어요. 과일을 많이 넣어서 만든 잼처럼 보이려는 거였죠.

84 진흙 파이는…

건강한 간식일 수도 있어요.

진흙을 먹으면 유용한 영양소를 얻고 해로운 독소로부터 몸을 보호할 수도 있어요.
단, 알맞은 진흙을 먹는다면 말이에요.

아기를 가진 뒤로
진흙이 계속 먹고
싶은 거예요.
과학자들은 진흙이
입덧을 줄이는 데
도움이 될 수도
있다고 생각해요.

겉흙은 먹으면 위험해요.
기생충, 오염 물질, 살충제가
가득하거든요.

더 깊이 있는 흙에는 대개
영양소인 광물질이 들어 있어요.

마그네슘 칼슘 철 구리

점토

점토를 함유한 흙은
창자벽에 보호막을 이루어서
독소와 해로운 세균을
막아 줄 수도 있어요.

진흙을 너무 많이 먹으면 변비에 걸릴
수 있어요. 의사들은 이 효과를 좋은
방향으로 이용할 방법을 시도하고 있어요.
설사약에 백점토를 넣는 식으로요.

85 허브 '딜'은 분자 수준에서 보면…

'스피어민트'의 거울상이에요.

초록 잎 허브인 스피어민트와 딜은 전혀 다른 맛을 내요. 하지만 둘 다 **카본**이라는 똑같은 화학 물질이 들어 있어요. 카본이 두 허브의 독특한 맛을 내요. 그런데 왜 맛이 전혀 다를까요? 딜과 스피어민트에 들어 있는 카본 분자의 모양이 서로 다르기 때문이에요.

카본 분자는 모양이 두 가지예요. 두 모양은 각각 왼손과 오른손처럼 서로를 거울에 비친 모양이고요.

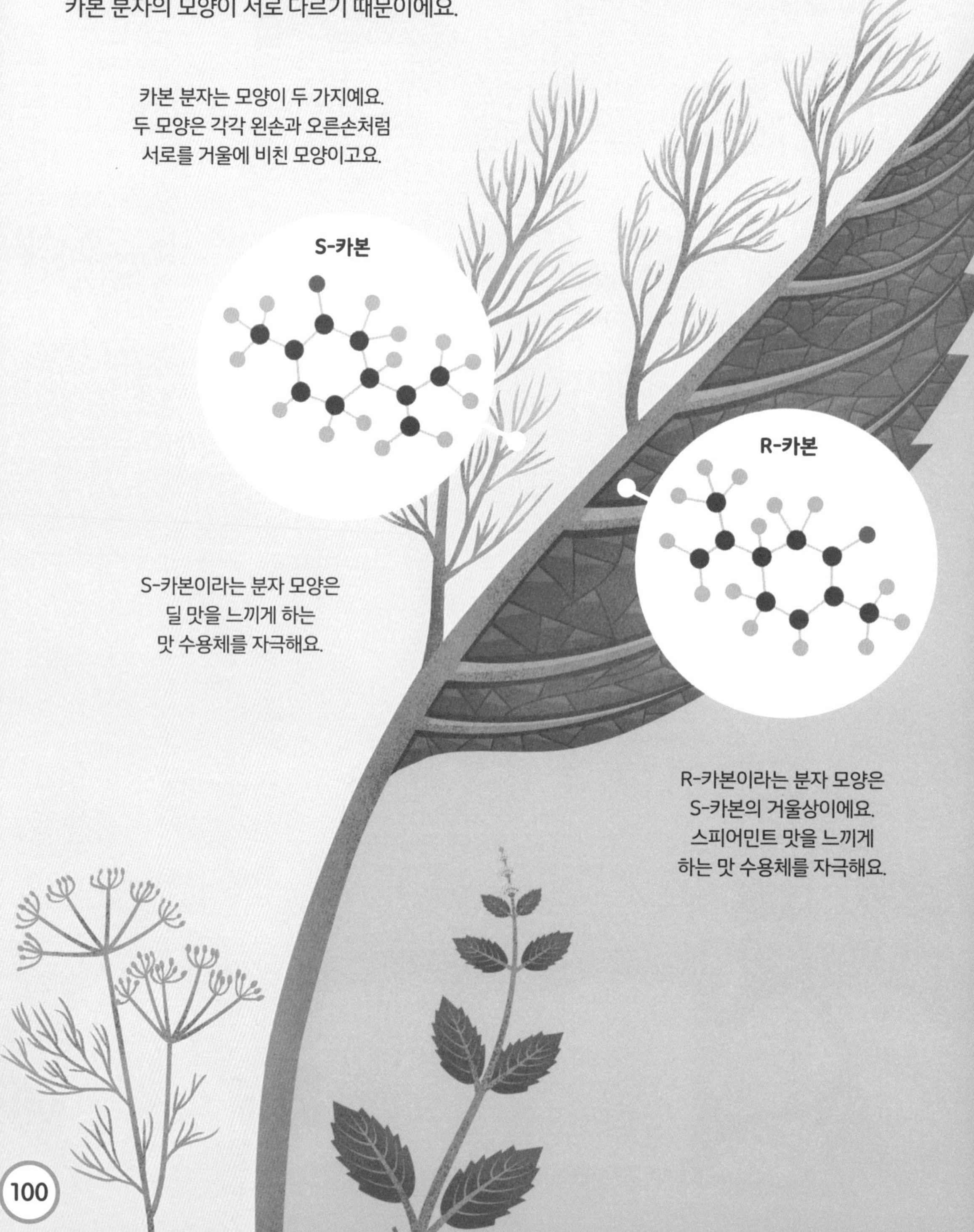

S-카본이라는 분자 모양은 딜 맛을 느끼게 하는 맛 수용체를 자극해요.

R-카본이라는 분자 모양은 S-카본의 거울상이에요. 스피어민트 맛을 느끼게 하는 맛 수용체를 자극해요.

86 옛날에는 아이스크림을 핥다가…

목숨을 잃을 수도 있었어요.

19세기에 런던 같은 도시에서는 아이스크림을 '페니 릭'이란 작은 유리잔에 담아서 팔았어요.
판매자는 사람들이 잔을 깨끗이 핥아 먹으면, 그 잔에 그대로 아이스크림을 또 담아 팔았어요.
그 때문에 **결핵**이라는 치명적인 폐병이 널리 퍼졌어요.

판매자들은
아이스크림을 담는
새로운 방법을 이것저것
시도해 보았어요.

먹을 수 있는
아이스크림 컵을
다양하게 만들었지요.

와플 콘은 발명되자마자
금방 아이스크림을
파는 일반적인 방법이
되었어요.

87 예전에는 고래가 토한 것을…

아이스크림 향을 내는 데 썼어요.

지금까지 알려진 아이스크림 조리법 중에 가장 오래된 1660년대의 조리법에는 **용연향**이 들어 있어요. 용연향은 향유고래가 토해 낸 밀랍 같은 희귀한 물질로 바다에 둥둥 떠다녀요. 오래 지속되는 달콤한 냄새를 풍기지요.

동물의 분비물을 요리에 쓰는 사례가 용연향만 있는 것은 아니에요.

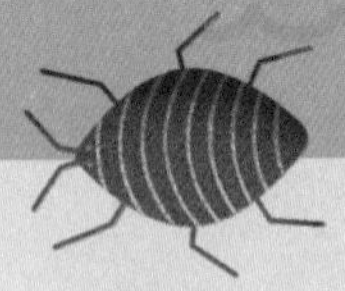

코치닐

원료: 으깬 연지벌레. 연지벌레는 남아메리카, 중앙아메리카에서 선인장에 붙어사는 곤충이에요.

용도: 새빨간 색을 내는 식용 색소로 써요.

해리향

원료: 비버의 항문에 있는 주머니에서 분비되는 물질이에요.

용도: 아이스크림 같은 식품에 바닐라 향을 내는 데 써요.

젤라틴

원료: 동물의 뼈와 가죽을 삶아서 얻어요.

용도: 젤리, 무스, 블랑망제 같은 후식을 만들 때 써요.

라놀린

원료: 양털에 들어 있는 기름에서 얻어요.

용도: 음식을 반들거리게 하는 데 써요. 껌에도 들어가요.

껌

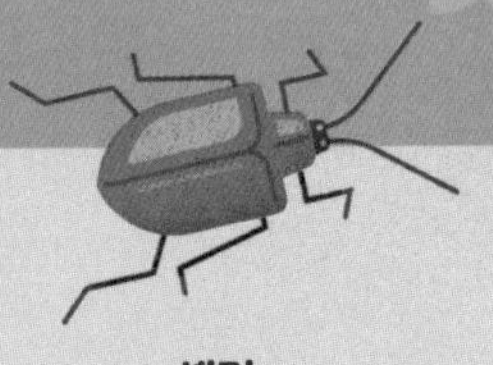

셸락

원료: 깍지벌레가 분비하는 진하고 끈적거리는 물질이에요.

용도: 사탕에 매끈한 껍질을 입히고, 감귤 겉을 감싸서 보관 기간을 늘리는 데 써요.

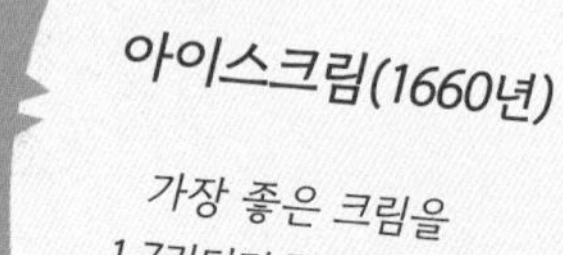

아이스크림(1660년)

가장 좋은 크림을 1.7리터만큼 준비해요. 메이스나 오렌지 꽃물 또는 용연향 같은 향료를 크림에 섞어서 끓여요….

88 채소는 스스로 파괴돼요…

저장 수명이 끝날 때가 되면요.

식품이 좋은 상태로 또는 먹기에 안전한 상태로 유지되는 기간을 **저장 수명**이라고 해요. 어떤 식품이든 상하거나 먹기에 위험한 상태가 되면 저장 수명이 끝나요. 하지만 식품이 상하는 방식은 제각각이에요.

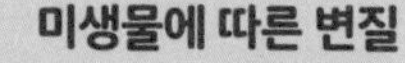

미생물에 따른 변질
세균, 효모, 곰팡이는 식품의 수분과 영양소를 먹어 치우면서 불어나요. 식품은 먹을 수가 없게 돼요.

효모는 과일처럼 당분이 많은 식품을 상하게 해요.

세균은 우유를 덩어리지게 해요.

빵은 말라 있어서 세균이 살 수 없지만, 곰팡이는 살 수 있어요.

오래된 고기와 달걀에서 번식한 세균을 먹으면 병에 걸려요.

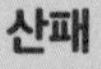

산패
공기 중의 산소는 식품에 들어 있는 지방을 분해해서 맛이 변하게 해요.

버터와 땅콩버터처럼 지방 함량이 많은 식품은 산패가 돼요. 먹어도 해롭지는 않지만, 불쾌한 맛이 나지요.

자가 분해(스스로 파괴하기)
많은 천연 식품에는 스스로를 변화시키거나 파괴하는 효소라는 분자가 들어 있어요.

자가 분해로 과일이나 채소의 껍질이나 표면 같은 보호막이 파괴되면, 곰팡이나 세균이 침입해요.

89 우주에서도 토마토를 키울 수 있어요…

흙 없이도 가능해요.

기나긴 우주여행을 하는 동안 작물을 키워 먹을 수 있다면 어떨까요? 멋진 생각이죠?
하지만 중력이 없는 우주선에서는 흙이 둥둥 떠다닐 거예요. 그래서 미국 항공 우주국인 나사(NASA)는
수경 재배라고 하는 물만으로 식물을 키우는 방법을 연구하고 있어요. 이미 지구에서도 쓰는 방법이에요.

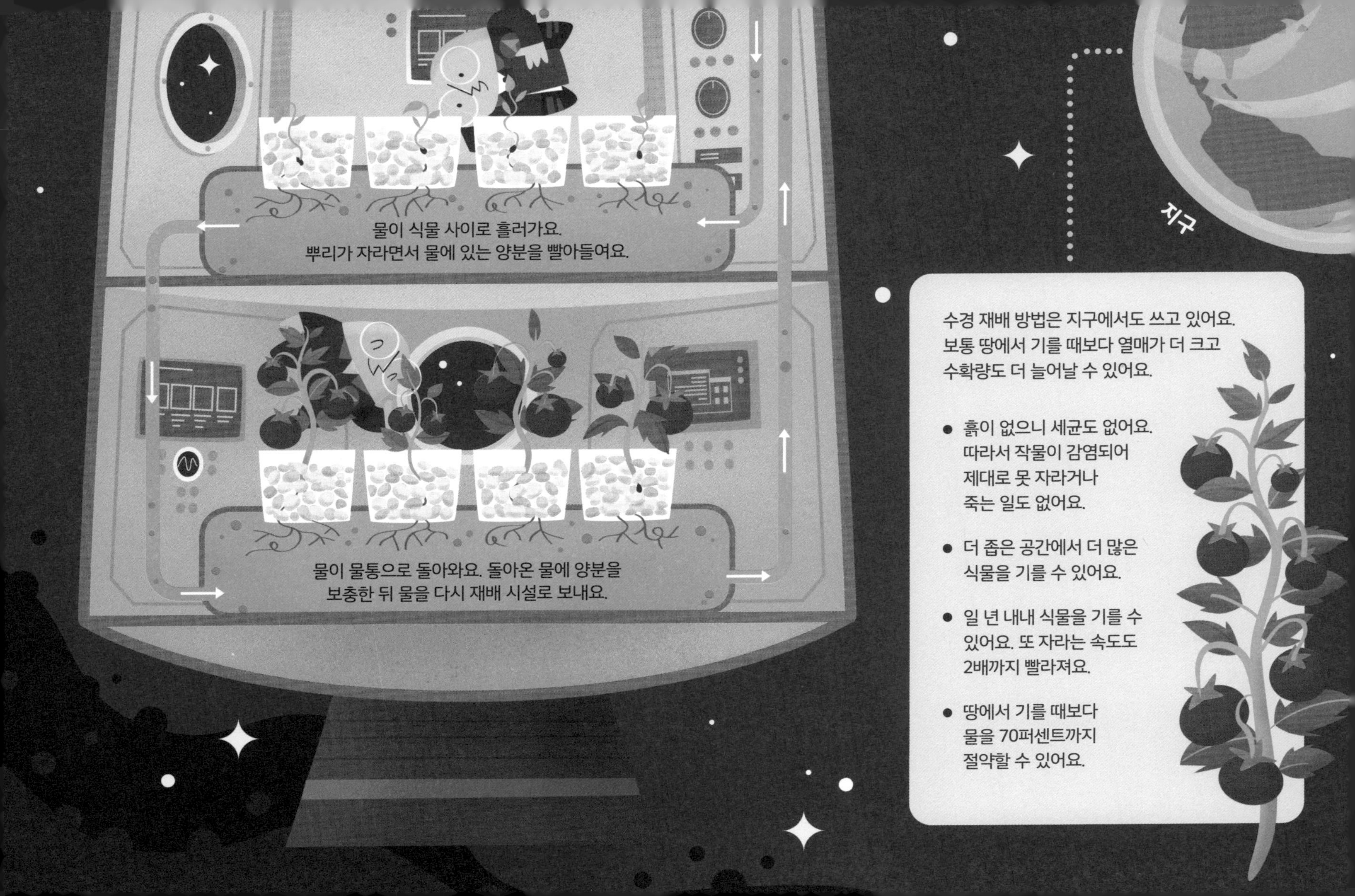

수경 재배 방법은 지구에서도 쓰고 있어요. 보통 땅에서 기를 때보다 열매가 더 크고 수확량도 더 늘어날 수 있어요.

- 흙이 없으니 세균도 없어요. 따라서 작물이 감염되어 제대로 못 자라거나 죽는 일도 없어요.
- 더 좁은 공간에서 더 많은 식물을 기를 수 있어요.
- 일 년 내내 식물을 기를 수 있어요. 또 자라는 속도도 2배까지 빨라져요.
- 땅에서 기를 때보다 물을 70퍼센트까지 절약할 수 있어요.

90 윤활유와 립스틱은…

스테이크와 딸기 판매에 도움을 줘요.

우리 주변에는 식품의 사진과 그림, 영상이 넘쳐나요. 잡지, 광고판, 텔레비전 광고마다 등장하지요. 이런 사진과 영상이 입맛을 자극할지 몰라도, 광고에 실린 식품이 다 먹을 수 있는 것은 아니에요. 사실 식품이 아닌 것도 있어요.

비누 거품
하얀 접착제
묽은 간장
참깨는 족집게로
하나하나 집어서
접착제로 붙여요.
감자튀김은 하나하나 골라서
먹음직스럽게 배치해요.
이쑤시개와 판지를 써서
내용물이 층층이 잘 쌓이게
모양을 만들어 줘요.
치즈는 차가운
고기 위에 올려놓고
헤어드라이어로 녹여요.
상추는 아삭거리고
윤기가 흘러 보이도록
글리세린을 뿌려요.

91 커피는 잠을 깨우는 것이 아니라…

졸린 느낌을 없애 주는 거예요.

A 우리 몸에서는 **아데노신**이라는 화학 물질이 저절로 만들어져요.

A 아데노신은 뇌에 있는 수용체에 결합해요. 그러면 졸음을 느끼는 화학적 신호가 몸 전체로 전달돼요.

C 커피에는 **카페인**이라는 화학 물질이 들어 있어요. 카페인은 아데노신과 화학 구조가 비슷해요.

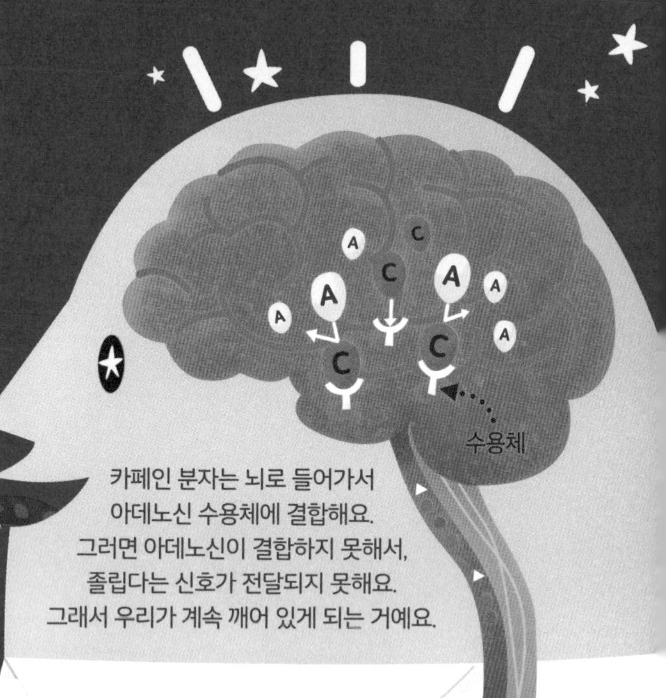

카페인 분자는 뇌로 들어가서 아데노신 수용체에 결합해요. 그러면 아데노신이 결합하지 못해서, 졸립다는 신호가 전달되지 못해요. 그래서 우리가 계속 깨어 있게 되는 거예요.

92 녹색을 띤 감자를 먹으면 병이 나요…

하지만 녹색이기 때문에 그런 것은 아니에요.

감자는 빛과 열을 받으면 **엽록소**를 만들어요. 잎이 녹색을 띠게 하는 바로 그 화학 물질이 생기는 거예요. 엽록소는 먹어도 해가 없어요.

그런데 빛을 쬔 감자는 **솔라닌**이라는 화학 물질도 많이 만들어요. 그리고 바로 이 솔라닌이 구토, 배앓이, 어지럼증을 일으켜요.

감자가 녹색이면, 독이 있다는 뜻이라고 봐도 돼요.

93 빵나무 열매는…

전 세계의 굶주린 사람들에게 도움을 줄 수 있어요.

세계 인구의 9분의 1은 **식량 안전**을 보장받지 못하고 있어요.
즉 매일 먹을 식량을 충분히 구하지 못할 수 있다는 뜻이에요.
식량 위기는 해결하기가 쉽지 않은 문제예요. 하지만 일부 과학자들은
남태평양 지역이 원산지인 빵나무 열매가 도움을 줄 수 있다고 믿어요.

에너지가 가득해서
빵나무 열매는 열량이 높아요.
온 가족의 한 끼 식사량에
맞먹는 탄수화물이 빵나무 열매
한 개에 들어 있어요.

단백질이 가득해서
식량이 부족한 나라에서는
단백질도 부족할 때가 많아요.
빵나무 열매는 다른 탄수화물
식품들보다 단백질 함량이
더 높아요.

감염 저항성이 좋아서
빵나무 열매에는 병균 감염을
막아 주는 비타민 C가
풍부해요.

광물질이 풍부해서
빵나무 열매에는
항산화제, 칼륨,
마그네슘, 철뿐 아니라
다른 중요한 광물질도
많이 들어 있어요.

무럭무럭 잘 자라서
빵나무는 잘 자라고 금방 자라요. 식량 안전
보장에 위기가 온 더운 열대 지방에서도 잘 자라요.
빵나무 한 그루에서 1년에 200개가 넘는 열매가 열려요.

빵나무 열매 먹는 방법

신선한 열매를
생으로 먹어요.

가루로 만들어
먹어요.

덩어리로 잘라서
죽에 넣어 먹어요.

튀겨서
칩처럼 먹어요.

씨를 말려서
견과처럼 먹어요.

느낌은 빵 같고, 맛은 감자 같아요!

94 고대 마야 인은…

돈을 먹었어요.

전 세계의 역사를 살펴보면, 고대에 많은 부족들이 음식을 돈으로도 썼어요.
먹기 좋은 돈을 고른다면 뭐가 좋을까요?
들고 다니기 좋고, 오래가고, 표준화하기 쉽고, 맛도 좋으면 더 좋지요.

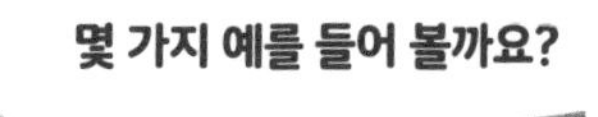

몇 가지 예를 들어 볼까요?

카카오 콩
중앙아메리카에서
선사 시대부터 17세기까지
마야 인이 화폐로 썼어요.

고등어 스낵 봉지
2004년부터 지금까지
미국 교도소 죄수들이
화폐로 쓰고 있어요.

암염 막대
16세기부터 20세기까지
에티오피아 인이
화폐로 썼어요.

얌(마)
선사 시대부터 지금까지
태평양의 트로브리안드 군도에서
바구니 단위로 돈처럼 썼어요.

벽돌처럼 굳힌 차
선사 시대부터 20세기까지
티베트에서 시베리아에 이르는
아시아 전역에서 화폐로 썼어요.

95 중국 만찬 요리는…

칼 하나만 있으면 다 만들 수 있어요.

전 세계의 요리사들은 수십 가지에 이르는 특수한 식칼을 써요. 생선의 살을 뜨는 낭창낭창한 칼과 고기를 저미는 데 쓰는 길쭉한 칼부터, 껍질을 벗기는 데 쓰는 짧은 칼까지 다양해요.
하지만 대부분의 중국 요리사는 단 한 종류의 칼만 써요. 도끼처럼 생긴 칼, 중식도예요.

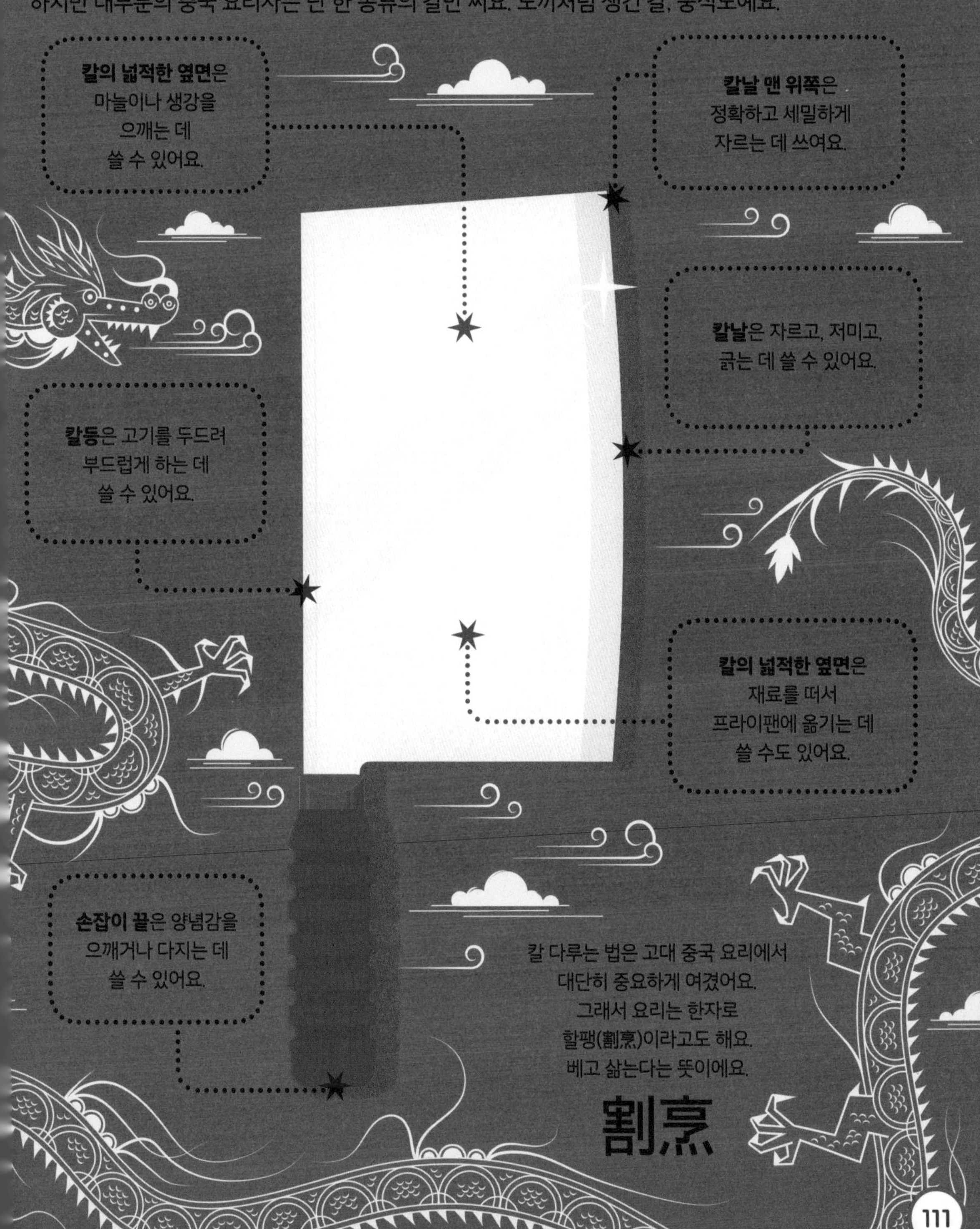

칼 다루는 법은 고대 중국 요리에서 대단히 중요하게 여겼어요. 그래서 요리는 한자로 할팽(割烹)이라고도 해요. 베고 삶는다는 뜻이에요.

割烹

96 타이타닉호의 마지막 식사는…

10가지 요리가 차례로 나오는 만찬이었어요.

1912년 4월 10일 세상에서 가장 크고 가장 호화스러운 배인 타이타닉호가 영국을 출항하여 아메리카로 향했어요. 이 항해의 매력 중 하나는 배에서만 맛볼 수 있는 특별한 요리였어요.

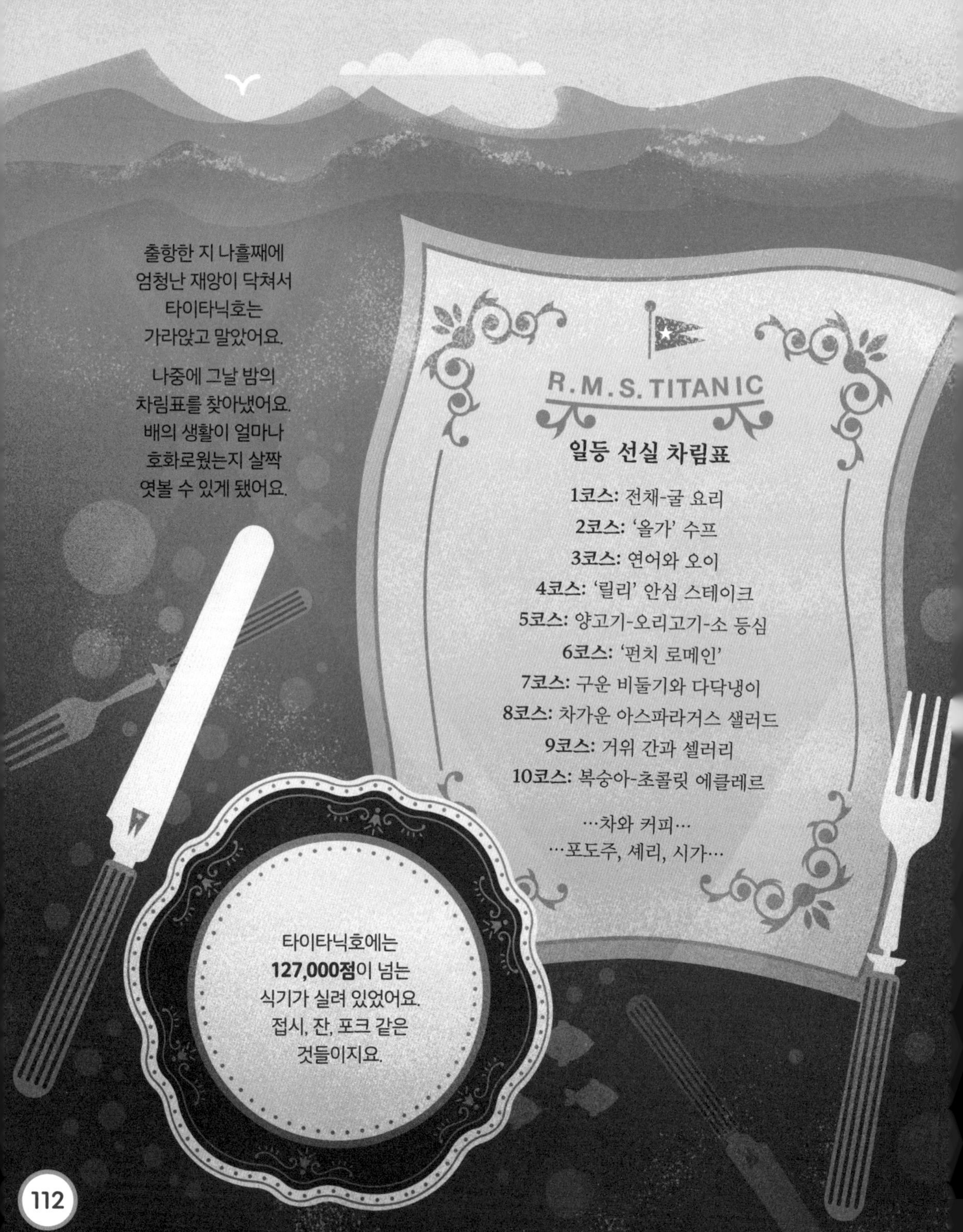

97 농부들은 벌을 빌려서…

과일이 가득 열리도록 해요.

많은 식물은 다른 꽃의 꽃가루를 자기 꽃에 묻혀야 열매를 맺을 수 있어요.
이 과정을 **수분(가루받이)**이라고 해요. 이 과정에서 벌이 꽃가루를 옮겨 주지요.
야생벌이 너무 부족할 때, 농부는 작물의 꽃가루를 옮겨 줄 벌 떼를 빌리기도 해요.

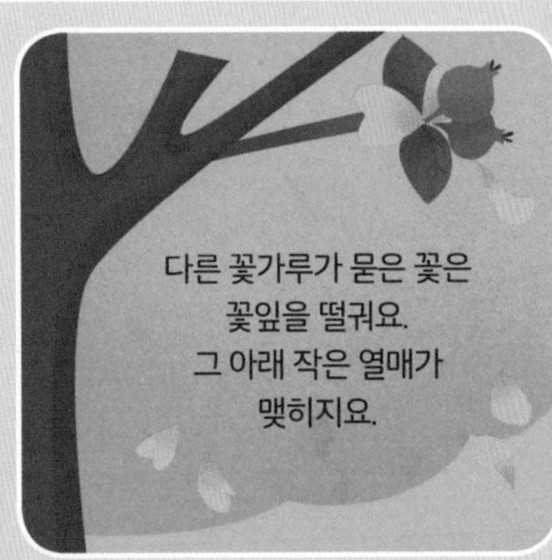

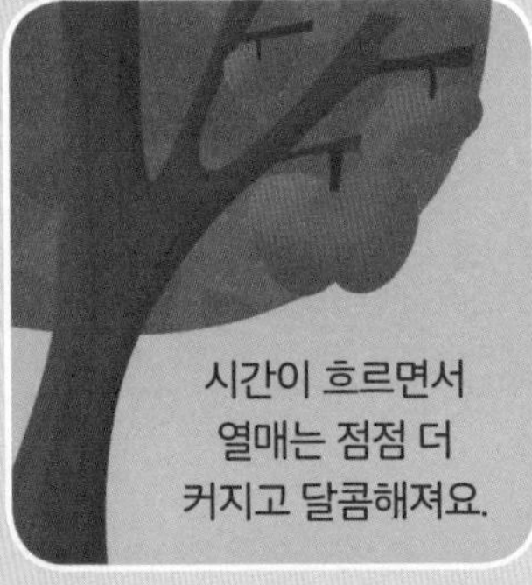

사과나무에 최대한 많은
사과가 열리게 하려면,
4,000제곱미터 넓이의 과수원에
벌 40,000마리가
필요할 거예요.

98 비행기를 먹어 치우는 데에는…

약 2년이 걸려요.

프랑스의 미셸 로티토는 금속과 유리를 먹는 사람으로 유명해요. '다 먹어 씨'라는 뜻의 '무슈 망주투'라는 별명이 있지요. 로티토는 금속을 하루에 1킬로그램씩 먹었어요. 1978년부터 1980년까지 비행기 한 대를 다 먹어 치우기도 했어요.

로티토가 평생 동안 먹은 것들 중 몇 가지를 소개할게요.

로티토는 **이식증**이라는 진단을 받았어요. 영양가가 전혀 없는 것들을 먹고 싶어 하는 상태라는 뜻이에요. 다행히 로티토의 위장 벽은 아주 두꺼웠어요. 그래서 유리를 먹어도 위장에 구멍이 나지 않았대요.

※ 음식이 아닌 것을 먹으면 위험하니 절대 따라 하지 마세요.

99 비 오는 날에 머랭을 구우면…

엉망진창이 돼요.

머랭을 만들려면 달걀흰자를 설탕과 섞어서 잘 저어야 해요. 머랭을 요리할 때 가장 중요한 점은 재료들이 가능한 한 바싹 마른 상태여야 한다는 거예요. 비가 오거나 습한 날에는 설탕이 공기에 있는 물기를 빨아들여서 반죽이 엉망이 될 수 있어요.

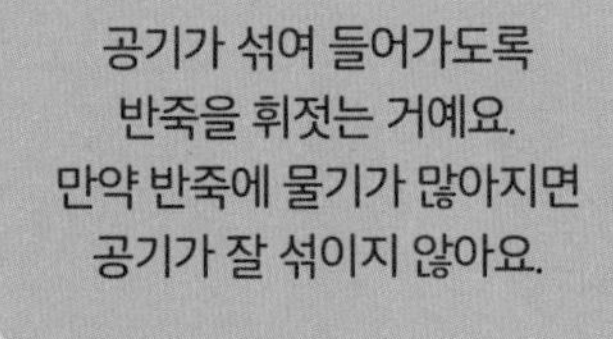

또 요리법에 적힌 것보다 더 오래 구워야 할 거예요.
그렇지 않으면 모양도 맛도 엉망이 될 거예요.

100 잠자는 젖소에게서 짠 우유를 마시면…

진짜로 졸음이 와요.

우유에는 **트립토판**이라는 화학 물질이 들어 있어요.
트립토판은 우리 몸에서 잠이 들도록 돕는 호르몬으로 바뀔 수 있어요.
밤에 짠 우유에는 트립토판이 더 많이 들어 있어요.

트립토판
우리 몸에 들어가서
이렇게 바뀔 수 있어요.

세로토닌
뇌에 '행복한' 화학 물질이에요.
느긋하고 편안한 기분을
느끼게 해 줘요.

멜라토닌
몸의 수면 주기를 조절하는
화학 물질이에요.
밤에 더 많이 만들어져요.

소가 잠을 자는 밤에는
우유에 트립토판이 더 많아져요.

밤에 짠 우유를 마시면 세로토닌과
멜라토닌이 늘어나서 졸음이 와요.
잠에 들기 위해 신체 활동이 느려지고
피곤하고 나른한 느낌이 들지요.

멜라토닌은 졸음을 불러오기 때문에,
잠을 못 자는 병인 **불면증** 치료에 쓰기도 해요.

낱말 풀이

지금부터 이 책에 실린 몇몇 용어들의 뜻을 간단히 설명하려고 해요.
*이탤릭체*로 표시된 낱말은 풀이가 따로 실려 있으니 찾아보세요.

가축 고기, 우유 등을 얻기 위해 기르는 동물.

감칠맛 5가지 기본 *맛* 중 하나. 주로 치즈와 고기에서 난다.

과일과 채소 식물에서 먹을 수 있는 부분으로 이루어진 식품군. 과일은 씨를 지닌 부위다. 채소나 야채는 대개 잎과 뿌리를 가리킨다.

광합성 식물이 햇빛을 *에너지*로 바꾸는 방법.

곡물 밀, 옥수수, 벼 등 먹기 위해 기르는 풀 종류. 곡류라고도 한다.

괴혈병 비타민 C가 부족할 때 생기는 병.

농학 *작물*과 *가축*을 기르는 연구를 하는 학문.

단당류 포도당처럼 가장 단순한 종류의 당. *설탕*은 단당류 2개가 연결된 당이다.

단맛 5가지 기본 *맛* 중 하나. 단맛은 당이 들어 있다는 뜻이고, 따라서 *에너지*가 많이 들어 있음을 가리킨다.

단백질 몸이 자라고 손상된 근육을 고치는 데 필요한 식품군. 주로 고기, 생선, 콩에 많이 들어 있다.

대사 음식의 *에너지*를 몸의 *에너지*로 전환하는 화학적 과정.

독성 물질 독을 지니고 있어서 몸에 해로운 물질.

마이야르 반응 *요리*할 때 음식이 갈색으로 변할 때 일어나는 반응. 요리된 음식에 *맛*을 더해 준다.

식품군

다음의 각 식품군의 음식이 고루 들어가 있는 식단이 건강하고 균형 잡힌 식단이에요.
위쪽에 놓인 식품들을 주로 먹고, 가장 아래쪽에 놓인 식품은 이따금씩만 먹어야 해요.

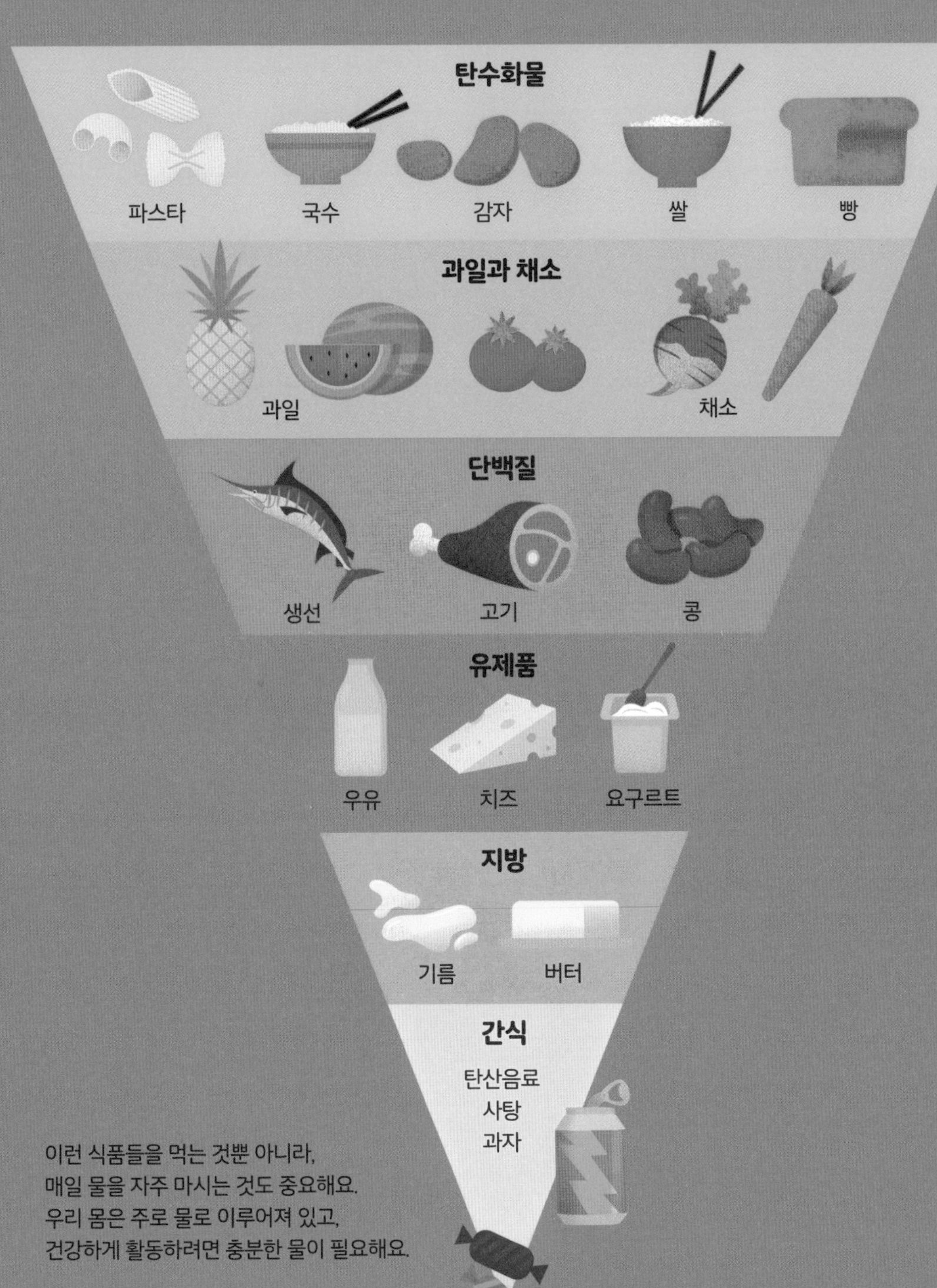

이런 식품들을 먹는 것뿐 아니라,
매일 물을 자주 마시는 것도 중요해요.
우리 몸은 주로 물로 이루어져 있고,
건강하게 활동하려면 충분한 물이 필요해요.

맛 혀의 맛봉오리가 음식을 접할 때 감지하는 기본 감각. *단맛, 짠맛, 쓴맛, 신맛, 감칠맛*이 있다.

맛봉오리 혀와 목에 있는 작은 감각 기관. 음식의 맛을 알아내는 수용체들이 들어 있다.

미슐랭 별점 음식과 서비스가 우수한 식당에 주는 별점.

발효 당을 기체와 알코올로 바꾸는 과정.

보존 음식을 상하지 않게 다양한 방법으로 저장하거나 보관하는 것. 냉장하거나 통조림으로 만드는 것 등이 있다.

비타민 결핍증 어떤 *비타민*이 부족해서 생기는 병이나 쇠약증.

비타민과 광물질 몸을 건강하게 유지하는 데 필요한 다양한 식품 성분들. 균형 잡힌 식사를 해야 이 물질들을 고루 섭취할 수 있다.

상하다 음식이 썩어서 더 이상 먹을 수 없게 되는 것.

선택적 교배 가장 좋은 특징을 지닌 동식물끼리 교배시켜서 더 우수한 동식물을 얻는 과정

설탕 사탕수수나 사탕무 같은 식물에서 얻는 *단맛*이 나는 물질. 음식에 단맛을 내기 위해 넣는다.

섬유 소화가 안 되고 영양소도 없지만, *소화계*가 원활히 작동하는 데 도움을 주는 성분. *곡물*과 *과일*에 많이 들어 있다.

세균 식품과 우리 몸에 들어 있는 미생물. 유익한 종류도 있지만 병을 일으키는 종류도 있다.

소금 양념할 때 쓰는 하얀 염화나트륨 결정. 몸이 원활히 작동하려면 소금이 필요하지만, 너무 많아지면 몸에 안 좋다.

소화 몸속에서 음식을 처리하여 *에너지*와 *영양소*를 뽑아내는 과정.

소화계 위장과 창자 등 음식을 *소화*하는 일을 하는 기관들.

수경 재배 흙이 아니라 물에서 식물을 기르는 방법.

수확 논밭이나 온실에서 익은 작물을 따 모으는 것.

식단 한 사람이 먹는 음식.

식단 조절 체중을 줄이거나 건강 상태에 맞추어서 음식의 양과 종류를 제한하는 것. '다이어트'라고 보통 부른다.

식품군 식품을 대강 크게 종류별로 나는 집단. *에너지*를 얻고 *영양소*의 균형을 이루려면 매일 각 식품군의 음식을 골고루 먹어야 한다.

신맛 5가지 기본 *맛* 중 하나. 레몬과 식초 같은 식품의 시큼한 맛.

쓴맛 5가지 기본 *맛* 중 하나. 쓴맛은 음식에 *독성*이 있으며, 몸에 해로우니 먹지 말라고 경고하는 역할을 할 수 있다.

양념 음식의 *맛*을 더하기 위해 넣는 *소금*이나 후추 같은 물질.

에너지 일을 할 능력. 움직이고 숨 쉬고 걷고 말할 수 있게 해 준다.

영양소 건강에 유익한 음식 성분들.

영양 *영양소*를 섭취하는 것.

요리 요리 재료를 가열하거나 하여 먹을 수 있게 준비한 것.

요리법 특정한 *요리*를 하는 데 필요한 재료와 과정을 적은 것.

요리사 정식 자격증을 딴 *요리* 전문가.

유제품 치즈와 요구르트 등 동물의 젖으로 만든 모든 식품을 포함하는 *식품군*.

작물 사람들이 먹기 위해서 대량으로 길러 수확하는 식물. *곡물*, *과일*, *채소* 등이 있다.

전해질 피 속에 들어 있는 전하를 띤 물질. 몸의 활동이 원활하게 이루어지는 데 필요하다. 운동을 하면 땀으로 빠져나가므로 보충해 줘야 한다.

접목 두 나무의 부위를 하나로 붙이는 것. 새로운 *과일* 품종을 만드는 데 종종 쓰인다.

젤라틴 대개 동물의 신체 부위를 가공하여 얻는 물질로서, 젤리와 사탕 같은 식품의 모양을 만들고 단단하거나 말랑말랑하게 만드는 데 쓰인다.

주식 매일 섭취하는 열량의 대부분을 제공하는 음식. 주로 *탄수화물*로 이루어져 있다. 지역마다 다르지만, 쌀, 밀, 옥수수, 감자가 대부분이다.

지방 높은 *에너지*를 지닌 *식품군*. 기름, 버터, 치즈, 고기 같은 식품에 많다.

짠맛 5가지 *맛* 중 하나. 혀에서 소금 성분을 검출하는 수용체가 가장 구조가 단순하다.

칼로리 식품의 *에너지*를 측정하는 단위. 1칼로리는 물 1밀리리터의 온도를 1도 올리는 데 들어가는 에너지다.

콩류 강낭콩과 완두 같은 식물의 씨. *단백질*이 풍부하다.

콜레스테롤 대다수의 동물 몸에 있는 화합물. 생명에 꼭 필요하지만, 너무 많아지면 위험하다.

클론 유전적으로 똑같은 생물들.

탄수화물 *식품군* 중 하나. 탄수화물은 *당*들이 사슬처럼 연결된 것이며, 중요한 에너지원이다.

향미 각 음식의 독특한 *맛*을 내는 향과 맛.

향미료 음식의 독특한 *향미*를 내거나 더하는 물질. *허브*와 *향신료*처럼 천연 향미료도 있고, 인공 향미료도 있다.

향신료 *요리*에 쓰는 나무껍질이나 씨 등 향을 지닌 식물 부위. 보통 잎이 아닌 부위다.

허브 바질이나 민트처럼, 잎에서 향기가 나는 식물. *요리*에 곁들인다.

호르몬 몸의 한 부위에서 다른 부위로 신호를 전달하는 화학적 물질.

효모 빵 반죽을 부풀어 오르게 하는 작은 단세포 균류.

효소 반응을 촉진하는 생체 물질. 음식의 *소화*를 돕는 효소도 있다.

찾아보기

주제에 대해서 보다 많은 사실을 찾아볼 수 있는 페이지는 **굵은 글씨**로 표시했어요.

ㅇ

ㅈ

ㅊ

ㅋ

ㅌ

ㅍ

인터넷에서 자료 찾기

어스본 영문 홈페이지에서 바로가기 링크를 살펴보세요.
음식에 관한 놀라운 사실들을 다룬 영상, 퀴즈, 활동을 더 발견할 수 있어요. 다만 연결되는 웹사이트는 모두 영문으로 제공된답니다.
어스본 바로가기(usborne.com/quicklinks)에 방문해서
검색창에 '100 Food Things'를 입력해 보세요.

어스본 바로가기에서는 다음과 같은 것을 찾아볼 수 있어요.

- 배 속에서 우르릉 소리가 나는 이유
- 영국 사람들이 죽에 즐겨 넣어 먹는 재료를 찾아보기
- 우리가 매일 먹는 음식이 어디에서 왔는지 알아보기
- 음식에서 살면서 우리를 아프게 하는 세균과 싸우는 법

다음의 인터넷 안전 사용 안내를 참고하셔서 어스본 바로가기를 방문해 주세요.
어린이가 인터넷을 볼 때에는 부모님께서 지켜보면서 지도해 주시는 것이 좋아요.

어스본 바로가기에서 추천하는 웹사이트의 내용은 계속 새롭게 바뀔 거예요.
하지만 어스본 출판사에서 직접 자료를 올리는 것은 아니라는 사실을 알아두세요.
어스본 출판사는 어스본 바로가기 이외의 정보 이용에 대한 법적 책임을 지지 않습니다.
또한 추천한 웹사이트에서 발생하는 바이러스 피해에 대해서도 법적 책임이 없습니다.

책을 만들 때에도…
브리게이드 시스템이 필요해요.

조사 · 글
샘 베어, 레이철 퍼스, 로즈 홀,
앨리스 제임스, 제롬 마틴

디자인
제이미 볼, 프레야 해리슨, 렌카 흐레호바,
에이미 매닝, 앨리스 리스, 비키 로빈슨, 헤일리 웰스

그림
페데리코 마리아니, 파르코 폴로
전문 감수
클라우디아 하브라네크, 제니 챈들러

편집 알렉스 프리스
시리즈 편집 루스 브로클허스트
시리즈 디자인 스티븐 몽크리프

한국어판 1판 1쇄 펴냄 2017년 9월 1일 | **1판 3쇄 펴냄** 2019년 12월 31일
옮김 이한음 **편집** 김산정 **디자인** 황혜련 **펴낸곳** (주)비룡소인터내셔널 **전화** 02)6207-5007 **팩스** 02)515-2007

영문 원서 100 THINGS TO KNOW ABOUT FOOD **1판 1쇄 펴냄** 2017년
글 샘 베어 외 **그림** 페데리코 마리아니, 파르코 폴로
펴낸곳 Usborne Publishing Ltd. usborne.com